Please return

D0422494

N'TSUK

Maquette de la couverture:
JACQUES DESROSIERS

Illustration de la couverture:
JACK TREMBLAY

DISTRIBUTEUR EXCLUSIF:
AGENCE DE DISTRIBUTION POPULAIRE INC.
1130 est, rue de La Gauchetière
Montréal 132   (523-1600)

 2

LES ÉDITIONS DE L'ACTUELLE 1971
Copyright, Ottawa, 1971
Bibliothèque nationale du Québec
Dépôt légal — 4e trimestre 1971
ISBN-0-7752-0019-0

Yves Thériault

N'TSUK

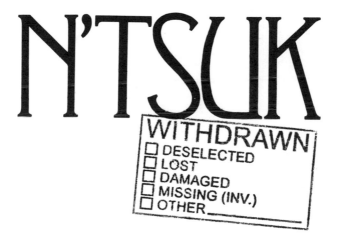

L'ACTUELLE

955, rue Amherst, Montréal 132

1

Même s'ils me parlent et m'enchantent, ce n'est ni le vent ni la tiédeur du soleil qui te diront ces mots. Mais ma seule pauvre voix, et mes seuls mots tels qu'ils sont.

Tu n'es qu'une Blanche, je ne peux l'oublier, et dans tout ce que je dirai tu ne compendras guère, mais s'il faut que je le dise avant que tout ne soit consommé, au moins entends-moi et ose envisager ta propre misère avant de dénoncer la mienne.

Je suis une Montagnaise, et ma tribu est issue de la Grande Race, celle des Cris, dont la langue a fait retentir les échos dans toutes les forêts du Nord bien des milliers d'années avant que les Blancs n'abordent ces terres hospitalières dont ils ont conquis le sol et le fruit.

Selon les calculs de ces mêmes Blancs, j'aurais cent ans.

Je me crois plus jeune, mais je me sens vieille comme le monde et cent ans ne seraient que trois soupirs et une souffrance dans notre histoire. J'ai la patience d'attendre la mort, comme j'ai eu la patience de vivre la vie.

Car il a fallu toutes les patiences et il a fallu tous les renoncements : nul toutefois si grand et nul si amer lorsque nous étions encore libres, que j'en puisse conserver un triste souvenir.

Après, lorsque les terres furent morcelées et qu'il ne nous resta que des rivières sans sources et des horizons visibles, tout changea : on te l'a dit, mais l'as-tu quand même appris ? Femme blanche, sais-tu le mal en l'oiseau quand l'oiseleur lui coupe les ailes ? Au-delà de moi, au-delà de toi, ne sommes-nous pas une continuation et un recommencement ?

Je me nomme N'Tsuk.

Et toi ?

Et qu'importe ?

J'ai le nom de la loutre agile et gambadante. Est-ce à la fin un symbole ? Suis-je de sang et de muscle et qu'en saurais-tu, toi?

Entends-moi.

Je suis née au bord du lac Atchepeuan, là où une rivière vient s'y joindre. Et si la forêt derrière monte déjà vers ses hauteurs, le long de pentes raides et pierreuses, là où survient la rivière et là où ses eaux pénètrent dans celles du lac, il y a de grands arpents d'ajoncs où bruit une vie douce de bêtes fourrées.

J'ai appris à l'âge de cinq ans comment aller caresser des rats d'eau gros et gras qui faisaient à peine mine de s'enfuir et qui attendaient mon geste d'affection.

J'ai donné un nom aux grenouilles placides, aux couleuvres et aux oiseaux du marais. Ils m'ont aussi donné un nom, croirais-je, semblablement spontané, et ce nom ressemblait peut-être à celui que j'avais reçu dans le ouigouame. (1)

Je dus être pour eux N'Tsuk, la Loutre, comme je l'étais pour mes parents, pour mes frères, pour mes soeurs, et pour tous les gens de la tribu qui habitaient les mêmes parages.

Voilà ce que j'étais à cinq ans, bête libre, et ce que je fus ma vie durant, même si le pays immense n'était devenu, grâce aux oeuvres des Blancs et à la faiblesse de nos chefs, un enclos à peine large d'une journée de marche, long de deux. Dans la géographie, rien. Un point noir sur la "mappe" du monde.

_____

(1) Nous préférons écrire phonétiquement le terme WIGWAM pour faciliter la lecture.

Je voudrais qu'on le dise à ma suite, et pourtant qui saura répéter mes mots ? Je voudrais qu'il soit entendu partout où vous tous, les Blancs, vous gouvernez les peuples, ce récit trop simple, dont on dira qu'il ne raconte rien de neuf.

Comme s'il fallait de jour en jour et de cri en cri, inventer de nouvelles souffrances, de nouvelles oppressions, les seules véritables, anciennes et odieuses pourtant, ne suffisant plus à émouvoir.

Mais les cages existent où croupissent les gens de la Grande Race. Qu'est-il donc besoin de plus ? Qu'on brûle des êtres ou qu'on les torture? Faut-il, pour désigner un mal, que ce mal soit à fer et à sang ? A-t-on renié à jamais le seul mal à l'âme et la seule dégénérescence des tribus ?

Ce que je te dis, je croirai toujours que tu ne l'entends pas.

Ce que je te dis, je croirai toujours que tu ne le comprends pas.

Car tes sons ne sont pas les miens et tes yeux ne sauraient percevoir les mêmes images. Ton corps ne sait pas les mêmes passions. Pourtant, je ne peux plus me taire ...

2

On me donna mari lorsque j'avais treize ans. C'était jeune, mais point aussi jeune dans mes tribus que dans les tiennes. Il y avait trop de garçons valides, sans femmes, dans les parages ; il faut à celui qui chasse le gibier et trappe les bêtes à fourrures une femme habile et aux bons muscles pour que toutes les tâches puissent s'accomplir. Celui-là consentira bien à dresser les peaux, qui est un ouvrage de femme, tant qu'il sera jeune et seul et que personne ne le ridiculisera : mais sitôt qu'il s'impatiente, on sait de long usage dans la tribu qu'il convient de trouver à cet exaspéré la femme qui cheminera à ses côtés.

J'ai donc épousé, à treize ans, Sholshe, qui avait vingt ans et qui était un bon chasseur, attentif à toutes les pistes et tout autant rusé que les bêtes ses proies.

Et, sans trop nous éloigner du point de départ nous avons quand même choisi de traverser la rivière et d'installer notre ouigouame sur l'autre rive. Sholshe y construisit un grand abri spacieux, fait de jeunes troncs fichés creux en terre, courbés et réunis au sommet. Avec l'écorce de bouleau blanc que j'avais soigneusement arrachée en grandes plaques, il a recouvert cette carcasse. Après, ce fut ma tâche que de calfater les joints des plaques à l'aide de résine de sapin ramollie sur le feu.

A l'automne, Sholshe poserait par-dessus le revêtement d'écorce les peaux de bêtes hautes, chevreuils, orignaux, caribous, qui garantiraient du froid.

J'ai allumé le premier feu de ce ouigouame trois jours après le mariage.

Il a fallu que j'offre au Melte-Manitot de la chaleur et du vent doux la propitiation millénaire, en lui rappelant que j'aurais besoin de sa grâce pour que notre vie soit bonne en cette nouvelle maison qui commençait, pour les nouvelles issues que j'enfanterais et qui perpétueraient la lignée, pour les nouveaux mots que j'apprendrais à dire, pour les nouveaux gestes qu'exigerait mon état de femme.

Et puis, nous avons vécu.

Devenue femme, j'appris à ne plus savoir me passer d'homme. Je l'avais toujours confusément senti, à l'âge de fillette; je ne me serais pas enfouie si loin que le pays me soit étranger et que je ne voie plus la silhouette de mon père ou de mes frères.

A l'âge aussi des premiers émois du corps, lorsque j'avais neuf ans, ou dix ans, et que sans les comprendre, je me rendais à ces forces qui agitaient déjà ma chair, il était bien sûr que déjà je les associais à la présence de l'homme. Mais comme épouse, enfin pénétrée, déjà amenée vers des sommets dont je n'avais que deviné l'existence autrefois sans savoir les identifier; dès ce moment-là de mon complet éveil, je compris que Sholshe avait place dans toutes mes heures non seulement en tant que mâle et possesseur, mais en tant que présence.

J'avais besoin d'entendre sa voix, de recevoir son souffle chaud contre mon sein quand il dormait, de servir sa nourriture et de guérir son mal lorsqu'il était souffrant.

Or, il est facile pour toi, ô Blanche, d'aimer un homme dans tes grandes maisons où tout te sert et tu ne sers rien. Il est facile de dire des mots ; poses-tu les gestes ?

Lorsqu'il a fallu, ce jour, gravir une montagne, franchir un torrent où malgré le froid d'hiver et l'eau tourbillonnante, j'ai dû me mouiller jusqu'à mi-corps. Lorsque j'ai parcouru la dernière heure du trajet tout muscle arraché, haletante comme une bête, le poids des pelleteries gelées en ballot sur mon dos semblable à l'entier du poids du ciel; quand malgré tout, à l'arrivée, il a fallu quérir du bois, allumer le feu, mettre à cuire la sagamité, sans même prendre le temps de retirer les bottes gelées, alors, toi femme blanche, à ma place aurais-tu inventé une seule tendresse ?

Et pourtant, je l'ai fait maintes fois, et mon sourire envers Sholshe n'était pas moins aimant, pas moins attentif. Mon regard le suivait et si j'avais mal aussi, c'était à son mal de la fatigue que je songeais. Car je savais aimer sans avoir la douceur d'aimer que tu possèdes. Je savais aimer dans la sueur et l'épuisement, à travers tous les maux, à travers toutes les angoisses, malgré toutes les désespérances et même si dehors une grande tempête balayait le pays et que je risquais de mourir à accomplir la moindre tâche.

J'ai parfois marché si longtemps que je ne voyais plus les arbres et que je n'entendais plus le son du jour.

J'ai parfois porté de tels fardeaux que je devais me traîner comme une bête accablée, dans les pentes.

J'ai attendu en silence des jours durant, cachant ma faim durant les famines, espérant qu'à chaque retour de chasse, Sholshe rapporte une dépouille.

J'ai mis dix enfants aux monde.

E t toi ?

M on premier enfant naquit dix mois après le mariage.

Je n'avais pas encore quatorze ans.

Mais mon corps avait sans attendre acquis ses privilèges de femme. Si j'étais, au matin de nos noces, une enfant par mon allure, dès que commença à croître en moi le premier de tous ceux qui suivraient, mes jambes devinrent plus fortes, mes hanches plus larges, ma poitrine plus lourde.

Q uand naquit mon fils, j'étais femme.

Ces jours-là, j'étais seule. Nous avions voyagé vers le haut de notre rivière et ensuite vers la source d'une autre. Il y avait là, s'était-il dit dans les ouigouames du pays natal, l'abondance du castor, de la loutre et du vison. Il y avait aussi une migration de caribou qui cherchait fortune dans le bassin de trois lacs à côté de cette rivière. C'était une terre promise et nous y étions montés, même si mon temps approchait.

Parce que mon ventre était trop lourd et que Sholshe comprenait ma jeunesse au campement de chasse, j'étais restée derrière, sous la tente de grosse toile. J'y étais assise, face à la porte, quand la première douleur me transperça. Puis les eaux du ventre m'inondèrent. J'en savais tout, de ce qui allait se passer : j'avais aidé ma mère, mes soeurs plus vieilles, une tante. Nous apprenions jeunes de tels secrets ; nous apprenions jeunes le vrai sens de la vie. Dirait-on que tu respectes ainsi l'intelligence de tes filles, craintive Blanche, qui croierait horrifier en n'étant que lucide et franche ?

Si j'ai eu peur, cette première fois, et surtout parce que j'étais seule, personne ne l'a jamais su. Personne des miens. Que tu le saches importe peu ; aujourd'hui, si longtemps plus tard, les miens ne sont plus là, et ils ne pourraient, s'ils y étaient, insulter à ma mémoire . . .

J'ai eu peur. J'ai tremblé. J'ai entendu, démesurément grossi, le son de la forêt. Le vent fut un ouragan. Un chant d'oiseau me paraissait strident. L'appel d'un grillon m'écorchait les oreilles. Il me semblait que le flot paisible de la petite rivière était la ruée d'une cataracte.

Mais ce n'était pas ta sorte de peur, femme blanche, ta peur au ventre, le mal aux tripes. On m'a dit comment il en était dans tes contrées de médecines et de grands hôpitaux, qu'on y prêche aux femmes la peur du sang, la peur de ce qui serait sale. La terre, la boue, la poussière des sols sablonneux que soulèvent les vents. Que la nature, tu vois, et tous ses infiniments petits, est un danger. Alors on polit et blanchit, on fait reluire, et monte en toi la peur. Survivras-tu ?

Tu te le demandes et tu geins sur ta couche. Tu as la sueur au front . . .

Il est venu autrefois dans nos pays un Blanc et sa femme. Ma mère disait qu'en accouchant cette femme de son premier enfant, en forêt, sous un abri bas, elle avait aperçu la peur de la mort empoignant celle qui allait donner la vie . . .

Cette peur, je ne saurais la connaître.

Elle n'aurait de sens pour moi.

Ce que je craignais cette première nuit, c'était de ne pas avoir fait le petit en sorte qu'il soit digne de Sholshe, digne des **Manitot,** digne aussi de toute ma lignée, eux avant moi qui ont donné le sang que je porte en mes veines et qui est ma noblesse comme la leur.

Cet enfant saurait-il, à jamais jusqu'à sa mort, tenir haut la tête par toutes nos contrées et se nommer de notre nom sans honte ?

Le bruit énorme des eaux blanches et le son tant augmenté du vent, n'était-ce pas leur connaissance à eux, ces êtres puissants de la nature, de ce que contenait mon ventre, et le reproche qu'ils me lançaient de l'aller accoucher cette nuit-là .. ?

Ma peur et la tienne, femme blanche, en vois-tu l'opposé ?

Je ressentis dix fois cette peur. Une fois pour chaque enfant que je mis au monde.

Rien, ni personne ne pourrait jamais l'enlever à toute Montagnaise, car chacune sait bien la gravité de sa tâche de continuatrice.

Pitié, Tshe Manitot suprême, et rends-moi digne . . .

* * *

3

Malgré ma forme nouvelle de femme, j'é-
tais quand même une fille longue, plus longue
que la plupart des Montagnaises. Plus fine,
aussi, mais non gracile.

Sholshe disait :

— C'est l'avantage, dans la haute neige.
J'y cheminais, c'est vrai plus agilement.

Parmi les miennes, celles de la tribu, on
souriait parfois de me voir. Toutes disaient
qu'après le troisième enfant, je deviendrais
comme Uapeleo, ce qui veut dire La Perdrix
blanche. C'était une autre fille, autrefois longue comme moi, qui était devenue, après trois
enfants accouchés, une large femme forte.
Derrière son dos, on la nommait parfois, surtout lorsqu'elle avait mal agi par devers la
tribu, **Shtualaken,** l'armoire.

Chez les fourmis, disait mon père, les nains sont rois. Mais ni Uapeleo, ni moi, N'Tsuk, n'étions reines dans nos tribus, où pourtant les femmes sont pour la plupart courtes et larges.

Nous avions appris encore enfants ce que toute femme montagnaise doit savoir d'héritage ; qu'elle est la femme de son homme, qu'elle a des tâches et des devoirs, qu'elle n'a de voix que pour le bien des siens et jamais de voix de discorde.

Plus tard, lorsque devenue vieille et sage, parfois on consultera celle-là, et ses avis seront écoutés avec respect, mais ce ne seront que des conseils de femme, indiquant à d'autres femmes plus jeunes, des chemins à suivre, des gestes à faire, des secrets d'herbes bénéfiques ou des médecines que fournit la nature et que toutes ne connaissent pas en entier.

Rôle de sagesse; respect des savoirs.

Je n'étais et ne pouvais être autre qu'une femme de mes tribus, et la femme de celui qui se nommait Sholshe.

Toi, femme blanche, ne t'arroges-tu pas le droit de parler haut, de revendiquer et de régenter ? N'est-ce pas un mauvais métier que celui-là ?

N'as-tu pas troqué de ta voix la douceur pour la stridence ?

Renierais-tu les tendresses auxquelles tu es obligée ?

Combien jeune encore l'on m'avait appris l'ampleur de mon rôle, et qu'il me fallait d'abord accomplir celui-là, pour lequel j'étais destinée, avant que d'en rechercher d'autres, pour lesquels je n'avais aucun talent, auxquels je n'avais nullement droit.

Où cours-tu donc, femme blanche, dans tous tes chemins d'hommes ? Tu sembles l'ourse affolée et démente, qui abandonne sa nichée pour se ruer vers la mort.

Et la nichée périra.

Tes nichées, ne périssent-elles pas ?

J'entends dire, je vois aussi, et je comprends. Dans les villes des Blancs, tout le pays du sud où les Blancs habitent, les nichées d'enfants redeviennent des bêtes délaissées, qui hurlent au sang chaque nuit et n'ont de dents que pour mordre et déchirer ...

Qu'est-ce que je disais, tout à l'heure ? L'âge me pèse et parfois il me semble que mes pensées me quittent et vont très loin, où je ne peux plus les atteindre. Et tout est doux, alors, et tourbillonnant. Est-ce ainsi, mourir ?

J'ai hâte qu'on me dise la forme de la mort, et qu'un Manitot aux gestes de compassion me prenne le bras et me mène au pays des Bonnes Chasses, où survit Sholshe et les autres . . .

Sholshe est mort en forêt . . . non, attend, il y a toute une vie à raconter d'abord. Cela n'est qu'une fin, mais où sont donc passés tous les jours importants où nous avons accompli notre tâche ?

Ah oui! je sais.

Maintenant, je sais.

Je disais que j'étais mince et longue. J'ai toujours été mince et longue. Je le suis encore. Mais j'avais aux jambes et aux bras, dans les muscles de mon dos aussi, une grande force. Je portais des ballots qu'eussent rejetés des hommes blancs. J'avais long souffle, et l'agilité du chevreau dans les rocailles.

Bientôt apprise, la science de l'effort : à dix ans, j'avironnais le canot dans les eaux blanches les plus traîtresses. Il n'était de besogne dont je ne pouvais venir à bout. Et si je n'ai pas appris ce qui est dans les livres, n'en suis-je pas autant savante, en ce qui compte, en ce qui a toujours compté pour moi ? La vie que j'ai menée : pourquoi donc sont venues un jour des femmes blanches dans la réserve où j'habite, qui m'ont exprimé la pitié qu'elles avaient de ce que je n'aie su lire, ou écrire ? Je crois que j'ai souri. Alors elles m'ont félicitée d'être si brave et de sourire malgré tout.

Elles faisaient miroiter des avantages aux yeux des jeunes dans ma maison, des filles issues de mes filles à moi et de leurs filles ensuite. (Je n'arrive jamais à me souvenir de leurs noms. L'une se nomme Rose, je crois. L'autre, Lisette, mais je ne peux les distinguer, vraiment. Ma vue est presque partie, je les vois à peine. Elles sont là, elles parlent, mais je suis un peu sourde aussi, et peu de sons m'atteignent. Elles parlent beaucoup et ne vont jamais en forêt.)

Les femmes blanches ont donc parlé des écoles et des couvents. Elles ont vanté le savoir dans les livres. Une des filles partira, je crois bientôt. Pour aller dans un de ces couvents; il paraît que c'est très bien. Il paraît aussi, que j'aurais donné ma permission. Cela aussi, je ne le sais pas. Que m'a-t-on demandé?

Même autrefois, dans mes contrées plus au nord, quand j'étais encore avec Sholshe, aurais-je bien compris? A l'époque, qu'aurais-je tiré de cette instruction ? Et si ma propre science, nécessaire et profonde, de tout ce qui bougeait et vivait autour de moi, avait été délogée du cerveau par ce que m'auraient enseigné des maîtres ?

Surtout, ce qui est pire encore, qu'en apprenant ce que savent les Blancs, je veuille partir et aller vivre parmi eux.

Un tel savoir est alors de la trahison.

Trop peu des miens en ont redouté la force : ils ne savent plus aujourd'hui reconnaître la piste d'un vison, mais ils savent les métiers d'usines. Au troc, ont-ils gagné seulement la survie, ou le bonheur pareillement ?

Pourquoi ont-ils oublié que la forêt aime ceux qui l'aiment ; nul n'y périra jamais qui en connaîtra les secrets infinis.

Oui, j'ai souri, un jour. Mais ce n'était pas de la bravoure, c'était ma pitié à moi pour les femmes blanches qui s'agitaient dans ma maison.

Et je n'avais plus Sholshe à qui demander de vider nos lieux, afin que nous retrouvions notre sérénité et notre silence, que nul ne pourra jamais évaluer à leur juste perfection.

Comme elle est longue, cette vie que je raconte, et pourtant je la sens un seul grand souffle serein, comme une exhaltation continuelle, qui aurait animé tous mes pas et mes gestes, toute ma besogne et tous mes courages.

Nous avons tiré de la forêt notre nourriture, nos vêtements, et tout ce qui a été nos joies, ou nos peines. Nous avons inventé toute chaleur lorsqu'il faisait froid, et nous nous sommes tenus cois dans l'eau fraiche, attendant que revienne la souplesse des membres, lorsque l'écrasante chaleur du jour nous avait abattus.

Et nous n'avons jamais craint.

Jamais regretté.

Jamais haï les jours.

Jamais méprisé nos biens.

Car nous étions riches. Si riches que de compter nos richesses eût été tâche de dément ou de ladre.

Comment compter tous les arbres de toutes nos forêts ?

Et chaque bête ?

Et les cassots d'eau dans chaque lac ou chaque rivière ?

Pourrait-on dénombrer les oiseaux ou les bêtes rampantes ? Les grands cerfs ou les poissons agiles ? Où trouver les mathématiques du vent et compter les odeurs?

Je voudrais te le dire ô femme blanche, le nombre des fleurs du printemps de mon pays, celles de l'été et celles de l'automne, que je ne saurais inventer de chiffre qui les désignent.

Mais dans tes jardins, ne sais-tu pas, toi, et c'est la marque de ton indigence, combien y croissent de roses ou d'oeillets ?

Si tu as un jardin.

Mon sol à moi se dirait un pays.

Et de ce pays tous, le suc et le fruit, la bête et le torrent. Ne jamais pouvoir étendre les bras si grands qu'ils en étreignent les confins.

Oh, comme nous étions riches !

Je me reprends, c'est plus clair en moi : patience.

Sauf de vivre et de survivre, il n'y a rien eu de marquant avant que je fasse mon quatrième enfant. Mais déjà, il me semblait que mes Manitot posaient sur moi un regard attentif. Dès ce premier petit, que j'avais eu seule, je te l'ai dit, j'avais appris à couper le cordon du nouveau-né d'un coup de dents, et de dompter en moi toute douleur ou toute fatigue pour soigner ce premier de la nichée.

De mes dix enfants, j'en eus sept alors que d'autres m'assistaient. Et trois sans aide, seule dans le ouigouame. J'en parle avec douceur, je ne suis ni amère, ni déçue. Nous savions toutes que l'homme a des appels vers les lointains où se trouvent les bêtes et qu'il doit y aller. Parce qu'il en est ainsi, sans rémission. Et que la femme doit alors redevenir celle que la nature a faite, capable de mettre au monde l'issue en elle, et de le faire sans une plainte, et de ses seules mains.

Ce n'est ni une forme de courage et ni une forme de résignation. Il n'y a pas plus fierté à être seule qu'à ne pas l'être : ce qui compte, c'est le petit. Et l'homme qui l'a fait en soi.

Cela, je le sais, te dépasse.

Il y a tant de tes mots que je ne comprends pas; il est juste que j'en sache prononcer qui te soient obscurs.

4

J'avais vingt ans et mon quatrième enfant venait de naître. Qu'avait-il, deux mois à peine ? Il était à mon sein, goulu, solide et brun, un fils. Je sentais déjà la force de ses muscles sous la peau et quand il me regardait, je savais bien qu'il était de la Grande Race, car son regard était paisible, profond, aussi calme que l'infini.

J'avais ce petit, et les autres. A la lune neuve, Sholshe avait dit:

— Nous irons plus haut que les Passes Dangereuses, au-delà de l'Albanel, dans le pays des petits arbres et de la broussaille touffue.

Il disait en montagnais : **peshokominao,** ce qui est tout comme, ou bien **tushpi,** tout pareillement.

Je ne lui ai pas demandé pourquoi nous irions là. S'il avait décidé de s'y rendre, c'était qu'il le jugeait bon. Je n'étais pas servile, j'avais moi aussi mes décisions et mes ordres, selon mes propres devoirs. Mais Sholshe connaissait les pays des meilleures chasses, c'était son devoir de les découvrir et de les connaître. Et s'il décidait que nous dussions y voyager, je n'avais rien à dire. Voilà comment il en est des miens, que nous reconnaissons à chacun ses obligations, ses forces, ses prudences, ses instincts et ses décisions. C'était à Sholshe de savoir où nous irions. C'était à moi de le suivre.

Nous avons portagé six jours durant, et campé six nuits. Au matin du septième jour, nous sommes entrés dans le pays où nous menait Sholshe.

C'était un pays bas, aux arbres presque nains. Il y avait de grands marécages, des lacs aussi, des rivières plates et on eût dit sans vie. Et partout des aunes, des genévriers, des saules de rivières, des osiers raides.

A nos moindres pas s'envolaient de grasses perdrix, s'affolaient des poules d'eau. Il n'y avait d'eaux calmes qui ne se fendaient du remous en pointe de flèche que produit un rat musqué fuyant les intrus.

Sholshe trouva une longue pointe de terre plus sèche, presque sablonneuse, où nous avons atterri les canots et monté la tente.

— Nous serons ici un mois, dit Sholshe. Nous rapporterons des provisions et de la fourrure.

Je comprenais bien qu'il en serait ainsi : je voyais au loin courir les caribous là où la terre était ferme et les arbres plus touffus. Et j'en fumerais la viande en longues lanières minces qui assureraient notre hiver. Et aussi la viande des rats musqués, la chair des grands poissons longs sur les eaux. Nous rapporterions des oiseaux plumés et vidés, fumés à leur tour, une recette que j'avais apprise de mon grand-père. Il n'était pas coutumier pour nous de préserver ainsi la chair des oiseaux, mais mon grand-père s'en était allé un jour tout en haut de nos géographies, près du Labrador et du pays des Mangeurs de Chair crue. Il n'avait trouvé là nulle bête haute à viande rouge. Peu de visons, aucun castor et si les lièvres abondaient, ils couraient des contrées fangeuses où l'on avait peine à les pourchasser.

C'est ainsi qu'il fallut bien sécher et fumer une autre viande que celle, traditionnelle, des hivernants du haut Nord. Mon grand-père, qui se nommait **Nkao'n'to'o,** le bon chasseur en ma langue, apprit donc à prendre le meilleur de la chair des oiseaux et à le fumer si bien qu'il en résultait un mets succulent, facile à transporter et qui nourrissait bien.

J'allais user de ce secret, dans le pays neuf où nous étions. Et nous rapporterions de là tous les ballots possibles de viande séchée.

E t de fourrure.

Ce serait, cette année-là, une bien grande joie.

Nous avons installé le campement, et quand tout fut en place, Sholshe regarda le soleil d'octobre, déjà bas et décida quand même d'aller examiner les pistes et les terriers. Il partit dans l'un des canots, remontant l'une des petites rivières qui coulait vers le nord, à cette latitude.

— A la montée de la lune, je serai ici.

N ous étions au temps où la lune apparaissait tôt chaque soir à l'horizon et disparaissait avant le milieu de la nuit.

J'ai mis au feu les aliments du soir et j'ai raconté aux enfants, comme je le faisais chaque fois que possible, devant le feu, les récits des Anciens, qu'ils devraient à leur tour perpétuer.

Des hiboux blancs s'interpellaient par-dessus les marécages. Des vents secs et frais, presque froids, arrivant coulis et secouant les flammes, faisaient le son des solitudes libres d'où ils venaient, qui ressemblait à une plainte d'amour.

Je crois que ma voix se fit bien douce pour narrer les chasses d'un ancien sans presque de nom, remémoré par sa force et sa ruse plus que par sa lignée, et dont tirer exemple : où donc se niche la perdrix, et quand donc faut-il lancer la flèche, et pourquoi la piste du carcajou dans la neige indique-t-elle une bête boîteuse, alors que c'est ruse menteuse pour attirer les naïfs. Dans la forêt des grands pins, où se trouve le nord ? Et que dit donc **pashpashteo,** le pic-bois, quand le rythme des coups lancés par son bec dans l'aubier de l'arbre prennent un rythme inaccoutumé, saccadé, étrange ?

Si le chasseur qui a faim commet un acte noble en tuant le gibier, quel est donc la bassesse de son acte lorsqu'il tue par plaisir de tuer ?

Et ainsi une heure durant, ne racontant

pas seulement la chasse aux petits silencieux et attentifs, mais aussi l'acte bon dans la tribu, le respect des autres, les lois tribales, antiques et bienveillantes, que tous doivent connaître et observer.

C'était mon enseignement à moi, accordé à nos besoins et à ceux qui s'imposeraient un jour aux petits. Trois soirs sur quatre, quatre soirs sur cinq, selon ce que permettait l'heure et le moment, selon que nous étions campés tôt, selon que nous étions au ouigouame et que je n'étais pas si fourbue que je ne puisse réunir les miens autour du feu, alors il me fallait ainsi transmettre aux petits mon propre savoir. Tout comme, à son tour, Sholshe transmettait le sien.

Ce n'était pas là un effort qui m'était particulier, mais qui était exigé de toutes les Montagnaises, de tous les Montagnais. De cette façon, à leur tour nos enfants apprenaient ce que nous savions, sans que jamais, comme en ton pays de Blanche, tu confies à d'autres le soin d'enseigner aux tiens. Ne te sens-tu pas éloignée d'eux, femme ? N'avez-vous donc pas, chez les Blancs, des traditions, des récits, du savoir, l'information essentielle à donner aux petits, qu'ils grandissent fiers et habiles ? L'enseignement transmis comme nous le transmettons, ce n'est pas seulement des faits, ou des temps, ou des actes, mais ce qui est nous-mêmes, notre propre sève. Comprends-tu ?

Je te demande : comprends-tu ?
Est-il possible que tu ne comprennes pas ?

Et si tu comprends, dis-moi donc pourquoi tu fais accomplir par d'autres ce que tu devrais toi-même faire chaque jour. Savoir compter les fruits et les pelleteries, les heures du jour ou les rochers du lac, les étoiles guides à reconnaître la saveur du vent qui prédit les lendemains . . . Dis-moi, dis-moi donc, chez toi, en sais-tu si peu que tu n'aies rien à dire à tes enfants ?

Ils sont menés chaque matin vers les écoles, comme vous appelez ces prisons de l'esprit où ta tradition se perd. Lorsqu'ils sont là, que fais-tu ? Peux-tu donc vivre en sachant que tes enfants n'apprennent rien de ce qui est toi, et rien de toi ? Comment te respecteront-ils, plus tard ?

N'auront-ils que pitié de toi ?

Ne te devront-ils que le sang et le souffle, mais point l'âme ?

Ton pays, ton peuple, ne serait-ce qu'un vaste enfer où les êtres désapprennent à vivre, une génération suivant l'autre ? Je vois qu'il y a partout de l'acier, du béton, des plastiques ; je vois que tout est artificiel, et qu'on ne saurait même plus reconnaître la vraie couleur des femmes ou leur vraie démarche sur les trottoirs. Crois-tu qu'il s'est accompli là un beau miracle ?

Y a-t-il une seule tradition qui reste de tes temps anciens à toi, et qui se transmet ?

Que tu transmets, toi, par-delà ta continuation ?

Mais je m'égare, je le sais. J'avais à narrer ce qui s'est produit ce soir-là, alors que j'étais seule avec les petits devant le feu ; j'allais l'oublier.

Assise par terre, je me berçais doucement, de l'avant à l'arrière, donnant le sein au plus jeune. Et je répétais lentement le récit antique. Le jour était presque tombé. La lune jaillirait d'un instant à l'autre.

Sur l'eau de la rivière, il y avait un reste de couchant, une traînée limpide de lueur rosée. Et je vis apparaître, à la courbe en amont de notre pointe, un objet sombre flottant sur l'eau. D'abord, je n'y pris point garde, croyant qu'il s'agissait d'une branche flottante. Lorsque je pus distinguer, je vis que c'était un aviron. Je compris aussitôt que là-bas Sholshe était en péril. Non que son aviron ait pu vraisemblablement lui échapper des mains, mais il avait dû le lancer dans le courant pour que je le voie et que je comprenne le signal.

Aussitôt, j'ai armé l'autre canot, j'y ai jeté les petits, et j'ai remonté la rivière.

Je ne savais pas ce que je trouverais à destination. J'allais au secours de mon homme, c'était tout ce que je devais savoir, à cet instant-là. Etait-il déjà mort ? Etait-ce péril bien grave ? N'était-ce qu'une embûche où il se serait pris sans pouvoir en sortir sans aide ? Toutes choses possibles, mais je les ai chassées de ma pensée. Voilà qui explique peut-être comment nous pouvons rester parfois stoïques, puisque nous tentons toujours et d'abord de songer à l'instant présent, à la tâche présente, nous en remettant au Manitot pour ce qui viendra après.

J'ai avironné durant près d'une heure.

Le cours de la rivière était sinueux, mais les eaux plates n'étaient pas un obstacle.

Soudain j'aperçus le canot.

Il était monté sur le sable, un aviron en place.

Sholshe était couché tout à côté, de son long. Il paraissait épuisé. Il a seulement relevé un peu la tête en m'entendant venir et j'ai su qu'il était vivant.

Il s'était pris dans un piège d'ours.

Quelqu'un, un Blanc sans doute, ignorant de la vie des bêtes et des lois de forêt, avait dissimulé l'engin dans le sable, là même où allait boire l'ours. Il n'avait pris aucune précaution. Lorsque le piège est en sous-bois, nous le marquons pour que le regard de l'homme le reconnaisse et s'en méfie. Ce piège avait été enfoui dans le sable, ce qui est un bien piètre endroit, et sans repère.

Sholshe s'y était pris, bêtement.

La blessure n'était pas grave. J'ai soigné mon homme, j'ai même installé un campement temporaire, pour la nuit. La lumière de la lune m'avait guidée facilement, mais c'était son coucher maintenant et, sur la rivière, il ferait trop sombre pour y voyager avec un blessé.

Ce n'est pas un incident bien grave. Je sais que dans ta vie, femme blanche, il s'en est produit d'infiniment plus dramatiques.

Si je l'ai raconté, c'est à cause de ce que Sholshe a dit lorsque j'ai abordé la grève sablonneuse.

Moi, je lui ai demandé :

— Tu as mal?

Il a fait non de la tête, puis il a dit, de sa voix qui fut toujours un peu bourrue:

— Ça n'importe pas. Tu es ici. Je sais que tu viendras toujours à mon besoin.

Après quatre enfants, c'étaient des paroles belles et bonnes à entendre.

Chez toi, on dit beaucoup de mots, de grands mots vides et sans suite. Les paroles coulent. Nous n'avons besoin que de besogner côte à côte, nous, sans parler, ou presque... C'est peut-être la timidité, comment pourrais-je savoir ? Notre langue est pourtant belle, et nous pouvons inventer tous les mots semblables aux tiens, femme blanche. Mais nous connaissons la vertu du silence.

Quatre enfants déjà, tu vois ? Une partie de vie déjà vécue. Tant de travail accompli, toutes les tâches derrière soi, et quand même beaucoup d'années encore. C'était miel et douceur d'entendre Sholshe m'affirmer sa confiance.

Il avait déjà si souvent affirmé son désir.

Et ce jour, cinq ans plus tard, où il trouva dans un coin de forêt que nous ne connaissions pas, une fleur comme il n'en avait jamais vu, il me l'apporta entre ses gros doigts, et pendant une heure il resta assis devant moi, sur le sable d'une grève où nous avions campé ce temps-là. Il ne disait rien, il riait. Il riait tout doucement, creux au fond de la gorge, alors que j'essayais la fleur neuve dans mes cheveux, sur ma poitrine, et même sur l'oreille.

Je crois qu'il me trouvait belle.

En faut-il plus, à toute femme ?

5

Nous ne devions être qu'une saison de chasse dans les pays rabougris du Haut Nord, mais nous y fûmes quatre ans.

Sholshe avait trouvé là tant de gibier, les pièges étaient si remplis et les eaux si poissonneuses, que nous n'arrivions pas à quitter ces bonnes chasses pour retrouver nos pays plus beaux, plus colorés, mais plus pauvres.

Sholshe disait:

— D'ici deux fois la pleine lune, nous partirons.

C'était mars déjà et venus mai et les dégels, il restait.

— Le poisson est abondant, il est bon. Nous partirons au premier gel des herbes.

Ainsi la verdure peut geler, la rosée du matin devenir du frimas blanc, mais le fond du sol reste meuble, les eaux courent à plein flot et il reste tout le temps de gagner le sud.

Aux gelées, Sholshe hésitait, se tenait songeur des heures entières sur la rive, puis il décidait de rester.

— Il y a tellement de fourrure à prendre, ici.

Et la fourrure, c'était la cotonnade, les balles pour les fusils, le thé, les pièges neufs.

Nous restions.

Nous sommes restés quatre ans.

Je m'étais vite lassée du paysage nu. J'en étais venue à haïr les hivers, alors que le vent hurlait comme le pire des mauvais esprits à travers les arbres bas et les broussailles. Tant de rivières et de marécages, l'absence de montagne coupant la force du vent, faisait que notre ouigouame était toujours trop froid.

Les enfants grandissaient, quand même, et semblaient croître en force. Je mis moi-même deux enfants au monde durant ce temps.

Partis six, nous revenions huit.

Nous poursuivions bien nos chemins.

A cette époque, des loups vinrent. L'été durant, nous n'avions que soupçonné leur présence. Sholshe revenait parfois, tenant à la main une touffe de poil gris.

— Il y a des loups.

Cheminant dans des ronces, ils y laissaient du poil.

Mais ils restaient invisibles.

— Ils n'ont pas faim, disait Sholshe, cela peut se comprendre, il y a du gibier pour mille loups, ici.

Même les deux premiers hivers, nous ne vîmes que des traces. Sholshe plus souvent que moi, car je ne le suivais pas à l'inspection de tous les pièges.

Un jour, toutefois, il en dut être autrement, car il fallait relever des pièges sur une longueur de dix lieues anciennes, tout au long d'une rivière. Sholshe avait bandé le ressort de ses trappes là même où il avait découvert une abondance de loutres, de visons, de pécans et de castor. Une fois déjà depuis que les pièges étaient en place, il les avait inspectés seul. Mais il avait été parti six jours, et pour revenir, il avait dû fabriquer un long toboggan qu'il tirait avec un attelage de peau d'orignal.

Et sur son dos, il avait assujetti un autre ballot, tout aussi lourd.

Jamais encore de sa vie il n'avait capturé tant de prises, mais il lui avait fallu écorcher chacune, et la richesse avait été bien dure à ramener au ouigouame.

Il s'était promis qu'à la seconde inspection, il n'en serait pas ainsi.

Vois-tu, nos préoccupations à nous peuvent sembler futiles à la femme blanche des villes, pour qui tout est accompli par d'autres. Point besoin de marcher en raquettes dix, vingt, ou trente lieues. Point besoin d'attendre à partir d'un quatrième soir, un homme en forêt qui n'entre qu'au sixième.

(Et les grands vents du nord étaient venus, nantis d'infinie puissance, pour tout écraser. Où était Sholshe? Sous quel abri? Devant quel danger ? On dira que chez les miens, le sens du temps et du passage des jours n'est pas le même que chez les tiens. C'est peut-être vrai. Aux moments de sérénité, nous ne comptons ni les heures ni les jours. Mais nous connaissons, comme toi, comme vous tous, la peur de la mort. Surtout celle de ceux qui nous sont chers. C'est peut-être là de l'é-goïsme . . .)

Pour qui n'a qu'à faire signe, et viendront tous les fournisseurs et toutes les fournitures, comment comprendre que nous ayons été astreints, de tout temps, à piéger la viande, cucillir nous-mêmes les fruitages, inventer des aliments à même la forêt. Et cuire sur place ce que nous voulions consommer. Tailler nos vêtements dans le cuir des bêtes ou dans leur pelleterie, coudre à la petite main. J'avais la moitié vécue de cet âge que j'ai, avant que je ne prenne entre mes doigts une aiguille de métal qui me venait des Blancs. Toujours j'avais cousu avec une pointe d'os, ou de bois durci au feu.

Toute ma vie, j'ai pilonné, pulvérisé, haché, gratté, repoli et frotté: toujours de mes mains, toujours de mes muscles. Mais j'ai accompli toutes ces besognes en sachant que si d'autres femmes, des étrangères, habitaient des pays d'aise, je recevais en retour de mes peines à moi, le cours de mes jours, la splendeur de ma forêt, le sommeil lourd sous le ouigouame de silence.

Et l'amour indéfectible d'un homme à qui jamais il ne serait même venu à l'idée que pouvait exister une autre femme, une autre vie, un autre espoir.

Et à moi l'assurance que rien d'autre au monde ne pourrait jamais se substituer à ce que je possédais, qui m'appartenait jusqu'au fond du sang et de la pensée.

Aussi, même en sachant combien pénible serait l'entreprise, j'ai suivi Sholshe, traînant les enfants tant bien que mal à travers les **trails,** lorsqu'il fallut inspecter de nouveau la grande ligne de trappe.

Nous avions cette fois un grand toboggan de frêne que Sholshe avait fabriqué. Nous avons mis dessus les ballots de fourniment pour le long voyage hors du ouigouame. Et par-dessus les ballots, les enfants. Ils étaient encore cinq à l'époque. J'étais grosse de quatre mois sans même qu'il y paraisse.

Sholshe avait inspecté les sous-bois autour du campement permanent, il avait goûté les vents et observé la forme de la neige sur la rivière.

— Il fera froid, avait-il dit.

C'était presque à souhaiter.

La marche en forêt est pénible lorsque le temps est trop doux. La neige colle, les vêtements sont trop lourds. Il y a danger de choir dans les trous dissimulés. S'il faut traverser un lac, qui sait la force de la glace dans ce dégel? Les eaux blanches, de leur côté, qui ne gèlent que rarement en un siècle, avec ce dégel montent et parfois inondent brusquement le terrain le plus inattendu. Combien sont morts ainsi, noyés dans leur sommeil, sans avoir pu s'en défendre ? Ou ont été emportés dans les anciennes eaux de la rivière aux Outardes, ou de la Manicouagan, avant les barrages, alors que ces grands torrents coulaient en toute puissance à travers la moitié de notre pays.

Mais il ferait froid. Cela aussi comptait ses dangers et ses misères, mais nous pouvions certes mieux les combattre.

Les enfants étaient habitués ; ils bravaient le froid comme des Mangeurs de Viande crue du Grand Nord.

Quant à nous, puisque c'était à l'hiver que nous venait presque l'entier de la vie, nous avions, tout comme nos propres petits, appris bien jeunes à supporter les pires blizzards.

En forêt dense, où le vent est absent, le voyage est plus facile, même s'il est ardu d'y faire glisser un grand toboggan.

Nous avons quand même couvert dès le premier jour, la distance du ouigouame au premier piège.

Nous avons campé là, pour être prêts à repartir dès le réveil.

Sholshe m'avait avertie:

— Nous n'apportons pas la tente de toile, ce serait trop lourd. Nous coucherons sous un abri.

Il en construisit un dès le haut sol trouvé où nous fîmes halte.

Il coupa deux longs troncs minces à même un bouquet de saules. Il les ficha creux dans la neige, les courba et les lia par le haut.

Sur cette sorte de demi-cercle, il posa d'autres longues tiges, à deux mains de distance chacune, mais reposant toutes sur la neige, à l'arrière, réunies et liées là. Sur le demi-cône couché ainsi obtenu, il posa et lia des sapinages épais, qu'il recouvrait ensuite de neige. Nous avions alors un abri solide. douillet même, ouvert cependant à un bout. Sholshe étendit d'autres sapinages sur la neige et en fit un épais matelas. Nous étendîmes là-dessus des peaux souples de caribou qui avaient encore leur pelage.

Puis Sholshe fit un feu, devant l'entrée de l'abri, mais assez loin pour que nulle flamme, ou nulle étincelle ne nous atteignît. Après avoir mangé, nous avons dormi. Trois fois cette nuit-là, lorsque le feu s'attiédit, Sholshe se releva et y jeta des rondins secs qu'il avait bûchés à la hache, à même des arbres morts et abattus par le vent.

Sous cet abri, je ne sais comment tu aurais dormi, femme blanche, mais sache que nous y avons tous connu un beau sommeil blanc, serein, sans rêve.

Peut-être y avons-nous eu plus chaud qu'en tes maisons.

Et commença donc pour nous ce qui devait être un voyage étrange, le plus marquant de toute ma vie. Car j'y ai connu pour la première fois l'angoisse de la chienne ou de l'ourse.

C'est un mal qui ne s'oublie pas.

6

J'ai fait halte dans ce récit parce que j'avais un peu besoin de souffle neuf. Il m'importe peu vraiment que tu comprennes, femme blanche. Il m'importe seulement de pouvoir le dire. Et s'ils venaient à tes yeux, ces mots, que tu en saisisses la portée ne changera sûrement rien. Et rien non plus si tu n'y comprends guère.

Ou alors voudras-tu mettre en mes mots un sens qui te convient ? Tu sauras certes me prouver que ta vie de progrès est la meilleure. Et tu me diras que tu as depuis longtemps rejeté tes chaînes, que tu ne fais plus rien de tes dix doigts, puisque des machines l'accomplissent. Que donc, par-dessus tout, la civilisation, c'est d'avoir pu libérer la femme de ses servitudes.

Tu me diras même que l'enfantement, qui était une horreur, est devenu facile...

Pour moi, il ne fut jamais une horreur; il fut toujours facile, il fut toujours presque une joie. Mais je n'eus pas, comme toi, à me faire enseigner par quels exercices j'arriverais à cette joie. Je n'avais pas encore renié mes tâches. Et c'étaient ces tâches mêmes qui rendaient souples tous les muscles. Nulle ankylose, femme blanche, nulle fatigue, le souffle toujours long et large, le sang vif, le corps sain.

Et toi ?

On te réapprend dans des cliniques ce que j'ai toujours su faire.

On refait ton corps déformé par la graisse.

On assouplit tes muscles raccourcis.

On avive le flot de ton sang.

En eus-je jamais besoin de ces artifices ?

Tu portes des vêtements qui te soutiennent. On ne soutient que ce qui choit. En eus-je jamais besoin, de cela aussi ?

On fabrique par millions les médecines que tu dois ingurgiter pour redonner à ton corps, à tes organes, ce que mon corps ou mes organes n'ont jamais perdu.

Je portais de plus belles fourrures que les tiennes. Et les miennes étaient plus durables, plus lustrées, plus duveteuses, car elles n'ont jamais été cousues et recousues, teintes, frisées, rasées, étirées.

Et si mon pied n'avait pas l'élégance du tien, il marchait l'année durant en tout confort, dans des mocassins souples où jamais je ne les blessais, ne les déformais, ne les altérais.

Songe un peu, ne te sens-tu pas un peu ridicule ?

Quelles sont donc les valeurs que tu m'offrirais pour que je m'en aille vers tes villes?

Les as-tu regardées, tes villes, en hiver ?

As-tu examiné en ta conscience les heures de chacune de tes journées ?

Ne dois-tu pas, pour toucher au dixième de ce que je touche en retour de la vie, inventer mille prétextes et créer de fausses valeurs que tu tentes ensuite de défendre ?

Je ne suis que N'Tsuk, et on dit que j'aurai cent ans demain. Cela signifie pour moi la fin d'une vie que je recommencerais demain, jour après jour et sans la moindre angoisse.

Mes fils et mes filles ont accompli leur destin, et ils l'ont bien accompli, chacun selon ses propres volontés.

Même si j'ai perdu trace et conscience de ceux qu'ils ont enfantés, eux, je sais que les miens, ont vécu comme des Montagnais doivent vivre.

Ce sont les autres, venus ensuite, qui se sont laissés leurrer par les Blancs, qui les ont crus, et qui vivent aujourd'hui comme eux. Ceux-là, je te le dis, ne sont plus des Indiens, plus vraiment. Et ils ne sauraient plus par quel chemin passer pour le redevenir. Un temps, j'ai cru que je les guiderais pour ce retour, mais quand les Blancs du gouvernement sont venus chez moi et m'ont reproché d'empêcher ces jeunes de s'épanouir, comme ils disaient, alors je me suis retirée dans mon coin, ici, où je suis présentement, et j'ai cessé de les apercevoir.

Je ne sais ce qui est mal ou bien : je ne connais pas l'avenir. Moi, je finirai demain, ou un autre jour, mais bientôt. Eux devront vivre. Une longueur de vie encore, ils sont si jeunes. Je ne sais s'ils sont encore heureux.

Je ne le crois pas.

Parfois, il me semble les entendre dire qu'ils ne sont pas satisfaits, qu'ils veulent plus, ou mieux, ou autre chose.

J'ai toujours été satisfaite, toute ma vie.

Le Tshe Manitot m'avait donné tout ce qu'il me fallait. Un homme, des petits, la forêt, la marche régulière du temps. C'est trop demander que d'en demander plus.

Voilà ce qui était à dire.

Toute la journée nous avons visité les pièges. Même les enfants, les plus vieux, savaient reconnaître la marque et déterrer l'engin s'il y avait une prise . . .

Au campement suivant, le soir venu, deuxième de l'expédition, il n'y eût pas de récit devant le feu. Une tâche m'attendait, qui était mienne d'héritage, celle d'écorcher les bêtes, et de préparer les peaux. Je ne sais pas à quelle heure j'ai terminé. C'est au jugé, par le trajet du soleil ou de la lune, ou même des étoiles, que nous avons toujours calculé le temps. Je sais que ce soir-là, la lune était à la fin de sa course.

Mes doigts saignaient, j'étais lasse. Sous l'abri, Sholshe et les enfants dormaient depuis longtemps.

Mais au matin, mon homme serait content de voir les pelleteries bien empilées, prêtes à nouer en ballot. La chasse avait été excellente, il y avait du vison à pelage sombre, une dizaine de loutres, des martres, six castors de grande taille. Que chaque jour de ce voyage soit aussi fructueux, et le troc du printemps serait le meilleur de longtemps.

Chaque soir, il en serait de même de ma tâche.

Chaque soir, je devrais apprêter les prises de la journée. Au retour, le fardeau serait plus léger, car au lieu d'un écorchage grossier comme en pouvait faire Sholshe, plus expert à la prise qu'à l'apprêt, qui laissait les peaux lourdes et glacées, je rendais moi, la peau souple et si elle roidissait au froid, elle était quand même légère.

Et nous serions deux pour tirer le toboggan.

La journée du lendemain se passa comme celle de la veille. Sauf que Sholshe, par deux fois, huma le vent et fronça les sourcils.

— Qu'est-ce qu'il y a ?

— Je sens le loup.

Il y avait en effet une vague odeur de charogne qui voyageait sur le vent. Quelque chose d'indéfinissable, venant d'ouest.

Au soir venu, tout fut comme prévu et Sholshe fut tôt sous l'abri avec les enfants. Il avait amassé une bonne provision de bois. J'étais assise par terre, sur une peau de caribou repliée, les bûches bien à ma portée. A gauche, les carcasses du jour, aussi nombreuses que celles de la veille, et à droite, déjà les premières pelleteries de ce soir-là.

La lune apparaissait, immense et rougeâtre, à l'horizon. Tout à l'heure, elle serait petite et froide dans le ciel limpide et sa lumière créerait au ras du sol un univers noir et blanc.

J'avais, devant moi, quatre heures de temps, quatre heures de fausse lumière.

Le feu, lui, serait ma lampe véritable. Il éclairerait mes doigts, mon oeuvre, le pelage doux des bêtes et le couteau d'écorchage lancerait parfois des éclairs sous la flamme quand il irait décoller quelque coin de peau, quand il déshabillerait une patte, ou s'insérerait doucement entre le cuir et la graisse, si habilement qu'il n'entaillerait pas le cuir, ni ne laisserait subsister trop de gras ou de muscle. L'apprêtage. Etendue sur une plaque de bois, et parfois seulement jetée sur la paume de ma main gauche, il me faudrait gratter la peau à gestes patients et doux, pour en arriver partout à la texture du seul cuir. Le grattoir était fait d'une pierre droite, aiguisée, trouvée après de longues recherches dans les galets et les granits éclatés par les froids d'hiver. Pour mieux l'empoigner, Sholshe y avait enroulé, en haut, une mince lanière de cuir de castor.

Avec ces deux outils, le couteau et la pierre, j'avais tout ce qu'il fallait pour obtenir une pelleterie très souple, dont on disait chez le trafiquant blanc qu'elle portait ma marque... C'était ma fierté. J'en avais si peu que je songeais à parader au loin, personne ne me reprochera celle-là.

C'était surtout Sholshe qui en profitait. On recherchait la pelleterie qu'il amenait au troc, on le félicitait de moi. J'étais heureuse de voir comment il s'en redressait les épaules d'orgueil. Et c'est ainsi qu'il doit en être, toujours...

Je me suis absorbée dans ma besogne.

Bientôt, j'avais atteint la moitié des prises. Les peaux dressés s'entassaient haut. Et les carcasses rejetées plus loin formaient déjà un monceau plus gros que je n'aurais cru.

J'aurais dû humer l'odeur des loups, mais j'étais absorbée dans mon travail, je ne voyais ni n'entendais rien, et la meute put donc cerner à sa guise notre campement avant que je ne m'en rende compte.

Et même, c'est Sholshe qui a le premier deviné la présence autour de nous. Je l'ai soudain vu sortir de l'abri en rampant. Il est venu s'accroupir près de moi, et il a murmuré :

— Les loups . . .

Il huma le nord et tous les autres points. Il scruta les fourrés. Immobile, il laissa la prescience l'envahir. Depuis tant de milliers d'années que nous connaissons notre métier de vivre, nous avons appris à voir et observer ce qu'un Blanc ne parviendrait jamais à déceler. Ce qui bouge là, dans les taillis ou dans la forêt touffue, nous en connaissons d'un instant à l'autre tout autant la forme que la présence. Cela est fait d'instinct, de flair, d'une sorte de magnétisme animal, comment savoir ? Cela est, et nous nous en servons, voilà tout.

Ainsi Sholshe s'étant éveillé, avait perçu une odeur, la chaude senteur un peu écoeurante, caractéristique des loups. Il savait aussitôt que ce n'était pas une seule bête dans nos alentours. Dehors, en scrutant bien, en cherchant la direction des odeurs, il comprit que nous étions entourés.

— Ne bouge pas, dit-il.

Nous étions cois. D'un moment à l'autre, il faudrait probablement nous défendre.

— Les carcasses, dit Sholshe. Il y en avait un monceau hier. Les loups ont dû le dévorer, puis il nous ont suivis toute la journée. Ils attendaient.

C'était plausible.

Nous étions pour la meute, à cause de tout ce dépeçage, une source facile de viande rouge. Ils ne nous épargneraient pas pour autant, même si la chair sanglante était abondante ; affolés par le sang, ils nous attaqueraient sans discernement, même s'il est connu que le loup déteste l'odeur de l'homme.

Il n'y avait à ce moment-là où nous étions alertés et qu'ils guettaient, que le feu entre eux et nous, le feu notre seule protection. Et il était à croire qu'avant peu de temps, ils laisseraient leur appétit carnassier triompher de leur prudence.

Maintenant, ils étaient si près que nous les entendions souffler, nous les entendions bouger dans les fourrés.

— Ils vont bondir, murmura Sholshe. Il vaut mieux nous armer.

En sortant de l'abri, il avait traîné nos deux carabines avec lui. Le chargeur de chacune contenait six balles. Combien y avait-il de loups, huit, douze, vingt? Ce que nous entendions autour de nous indiquait qu'ils étaient au moins une huitaine. Au moins cela. Mais il pouvait y en avoir d'autres, derrière. Il n'y a pas de nombre fixe à une meute; les loups s'unissent, en hiver, selon leurs propres besoins, selon le pays de chasse, selon leur caprice. Ils se désignent un chef, le plus fort, le plus habile et le plus courageux des jeunes mâles. La bande alors s'entr'aide, traquant plus facilement par le nombre, explorant mieux, dépistant mieux.

Rien ne pouvait donc nous indiquer la véritable ampleur du danger devant nous.

Carabine prête, nous nous sommes lentement relevés. Il valait mieux faire face debout à la ruée qui se produirait inévitablement.

Rien ne bougeait plus, le silence était lourd; les loups, se sentant découverts probablement, revenaient aux ruses millénaires. Ils s'immobilisaient, attendant le geste déterminant du chef, qui déciderait, lui, de la seconde propice où mener la meute au carnage.

Pour ceux à contre-vent, l'odeur des carcasses devait être bien alléchante. Il devait être difficile de retenir leur élan ; et pourtant, le chef semblait avoir une grande emprise. Depuis que nous étions debout, Sholshe et moi, presque dos à dos, épiant toute la forêt nous entourant, un très grand silence régnait.

Nous ressentions de l'angoisse, bien sûr, mais je crois que pour ma part, je ressentais aussi plus de calme que je n'aurais cru. Ce n'était pas du courage, et ce n'était pas non plus l'ignorance du danger. C'était tout simplement la confiance que j'avais en l'habileté de Sholshe, et la certitude que de mon côté, les coups porteraient lorsqu'ils seraient tirés.

C'est peut-être de n'avoir plus le choix, à un certain instant. L'on ne peut battre en retraite, la situation est devenue une impasse. Ce n'est pas en fuyant le danger qu'on le conjurera, mais en le combattant de plein front.

Si bien qu'au bout de cinq minutes je souhaitais que se produise la ruée, que nous en venions à une fin. Des enfants dormaient sous l'abri : nous ne laisserions certes pas les loups les dévorer.

(Comprends que ces loups, aux termes ordinaires ne nous auraient pas attaqués. Peut-être se seraient-ils approchés de notre campement, peut-être l'auraient-ils observé de loin, pour repartir sans autre cérémonie. S'ils attaquaient ce soir-là, c'était à cause des carcasses, ce fut dit, et c'était peut-être suffisant pour qu'ils surmontent toute leur peur, tout leur dégoût de l'homme . . .)

L'attente devenait intolérable.

— Seraient-ils repartis ? dis-je à Sholshe.

Je n'étais plus sûre de mes instincts. Il me semblait que la meute n'était plus là.

— Non, dit Sohlshe, ils sont là. Je le sens.

Je pouvais le croire. Sholshe était encore plus accordé à la forêt que je ne l'étais. Ses instincts étaient plus forts. S'il sentait la présence des loups qui se continuait, c'était que les bêtes étaient là.

— Et s'ils n'attaquent pas, dis-je...

— Demain soir, ils reviendront. Ce sera à recommencer. Ils finiront par attaquer, c'est inévitable.

Soudain, Sholshe se raidit. Il avait pris une décision.

— Si nous attaquons, nous, ils seront désemparés. Il y a un gros bosquet bas de cèdre rampant, face à toi. Il y a au moins deux loups qui s'y cachent. Moi, j'en devine trois où je regarde. Tire, ça les forcera à bouger. Ensuite, tire ceux que tu verras. Ça peut réussir.

— Au signal ?

— Oui. Je dirai vas-y !

— Bon. Je suis prête.

J'avais épaulé la carabine, Sholshe de même.

— Vas-y ! s'écria-t-il.

Aussitôt j'ai tiré mon premier coup, Sholshe aussi. Des formes bougèrent en face de moi, d'autres se montrèrent à Sholshe. Mon homme avait eu raison, les loups étaient désemparés. Ils se croyaient invisibles.

Chaque forme aperçue fut tirée, et s'abattit. Je pus même recharger mon arme, glissant d'un coup un chargeur neuf. Deux loups tentèrent, pleins de toute audace, de bondir vers les carcasses. L'un devait être le jeune chef, il s'élança le premier, mais son élan fut brutalement stoppé en plein air par la balle de Sholshe. Je pris à mon compte l'autre loup.

Tout à coup, le silence se fit.

Et pourtant nous n'entendions nulle fuite.

— Ils seraient tous morts ? fit Sholshe, le regard intrigué.

— Je crois en avoir tué sept, dis-je.

— Et moi six. Une meute de treize ? C'est bien possible.

Nous sommes restés immobiles un long moment encore.

Puis, Sholshe bougea.

— Attention, dis-je.

Il marcha lentement, posant un pied devant l'autre avec précaution, observant attentivement les fourrés.

Rien.

Je surveillais de mon côté cette partie du cercle où j'avais tiré tout à l'heure. Là aussi, c'était le silence.

— Fais comme moi, dit Sholshe. Mais méfie-toi. Il peut y en avoir un de terré.

Un loup suffit. Ce sont de grandes bêtes longues, au pelage gris. Ils pèsent parfois jusqu'à cent kilos. Leur force, leur agilité, leurs crocs leur permettent une attaque surprise qui peut être mortelle. D'un seul coup de dents, ils égorgent, ils éventrent.

Plus j'avançais, plus je me disais que de les avoir tous tués si rapidement et presque sans combat tenait du miracle.

Il fallait qu'il en reste, prêts à bondir.

L'odeur persistait, forte et nauséabonde, mais cela n'indiquait pas si les bêtes étaient mortes ou vivantes.

J'étais à dix pas des fourrés et tout restait immobile.

Et de même pour Sholshe, presque rendu lui aussi.

Nous avons minutieusement exploré tous les taillis des alentours, ne laissant nul coin d'ombre inexploré. La lune haute aidait aux recherches.

Nous avons trouvé treize loups, tel que nous les avions dénombrés lors de la tuée. Et pas un vivant.

Le lendemain matin, Sholshe a visité encore plus loin, en un large cercle. Il y avait une quantité de pistes et d'après leur forme, leur position et leur superposition, il a pu déterminer de quelle façon la meute s'était répartie autour de notre campement pour nous épier, après être venue par la large trail que nous parcourions ici, en relevant les pièges.

Mais il eut beau chercher, il ne trouva nulle piste plus fraîche, en direction de la fuite. Nous avions tué tous les loups, c'était vraiment un miracle, et il était à croire que nous ne serions plus incommodés durant ce voyage.

Et nous ne l'avons pas été.

Même, pendant des années, je ne vis ni n'entendis le moindre loup.

Ce fut seulement plus tard, bien plus tard, alors que mon dixième enfant n'avait que six ans, qu'il fut traîné dans la forêt par un vieux loup solitaire.

Mais cela, c'est une autre histoire.

Et puisqu'il n'a même pas été blessé sérieusement, elle vaut à peine que je la raconte. J'y songerai. Dans toute une vie, si paisible et fructueuse qu'elle ait été, un ou deux épi-

sodes dramatiques ont à peine de signification . . .

J'y songerai.

Et s'il le faut, plus tard, je te raconterai la
chose . . .

7

Vivrais-je encore cent ans que je ne pourrais jamais dire la substance de ce que nous sommes, nous Montagnaises, si l'on nous compare aux Blanches.

C'est que nous n'avons pas un même point de départ : nous respirons autrement, nous oeuvrons selon nos rythmes, méconnus et méprisés peut-être. J'essaie de le décrire : notre appartenance est à l'opposé. Tu appartiens, ô Blanche, à un monde que nous ne comprenons pas et qui ne nous comprend pas.

Pourquoi serais-tu asservie au goût d'un vent neuf ? Il peut signifier la douceur du temps, pour toi, mais c'est nécessaire. Il apporte une plaisance. Pour moi, il signifie une possibilité.

Dans le mauvais vent, tu cherches refuge

dans tes hautes maisons. Femme blanche. Tu n'as cure des ouragans, et le vent froid, s'il t'incommode un moment, tu le fuis aussi dans tes souterrains et dans tes buildings. Ta maison solide bloque tout. Tu n'y auras pas froid, et c'est bien rarement que tu y auras faim. Si la chose arrive, alors on te dit pauvre et des gens te portent le secours.

Quels secours viennent aux miens s'ils n'ont pu fumer la viande et le poisson, si l'hiver est enraciné dans le sol et que le gibier est rare ?

Et si vient donc la bise, les longs vents froids du nord, à chaque heure de son passage j'en suis le jouet continuel. Je n'ai pas de toit inexpugnable, de murs, de chauffage qui crée- raient dans ma maison un pays doux.

Et pourtant, je te le dis, ce vent froid peut aussi nous apporter un renouveau. Il lancera la neige sur le pays, et sur cette neige les piste des animaux seront précises, le pelage des bêtes sera duveté, et ainsi nous piégerons pour survivre. Or donc, le bon vent froid.

Mais je suis semblablement de peau, sache- le. Et ce bienfait, j'en dois souffrir la cruauté momentanée.

Cela me fait autrement.

Jamais mes yeux ne voient les choses comme tu les vois : c'est une rançon et une splendeur. Il faut savoir départager.

J'ai bien la joie des fleurs, soit, mais aussi je sais qu'entre elles s'en trouvent qui sont des médecines pour nos maux. Je reconnais à l'arbre sa noblesse, et·je sais aussi ce que je lui dois. Il est forêt, donc refuge et gagne-pain. Il est l'écorce et le bois, parfois la décoction. Il sera le canot, le poteau pour le oui-gouame, le traîneau ou le tobaggan, ou la traîne d'été aussi.

Sa feuille assure l'ombrage, et la pluie dont nous avons besoin.

Pour toi, le lac est l'endroit où s'ébattre, où voguer : c'est le répit, la fraîcheur. Pour moi aussi, un peu. Mais si j'y vogue c'est pour mieux atteindre avec moindre effort un autre pays où chasser et continuer.

Et dans l'eau blanche qui peut être traî-tresse, que tu nommes un site, une image belle, une merveille, moi je vois la truite à capturer, encore pour continuer.

Mes images et les tiennes, qui paraissent semblables puisque nos yeux les perçoivent pareillement, ont pourtant, pour chacune de nous un sens opposé.

Si je donne à mes fils la liberté d'être eux-mêmes et qu'ils subissent une moindre discipline, ce n'est pas que je les veuille débridés comme des chevaux sauvages. Leur sang le leur interdira, d'abord, et surtout, ils doivent apprendre jeunes à cheminer en maîtres dans la forêt. Ainsi donc apprendront-ils, dès lors, leur métier d'homme.

Et plus encore: étant ainsi de démarche fière et libre, ils ne craindront nul des vents et nulle des embûches. Ils seront en accord avec le sol, la forêt et les eaux ; ils n'en seront point les tyrans, mais c'est quand même à eux qu'obéiront ces forces et ces richesses.

Soumis, dociles, timides, apeurés, ils ne seraient que de pauvres êtres incompétents et misérables. Très vite, et les eaux, et la forêt, et le sol triompheraient d'eux.

Cela ne doit pas être.

Et ainsi mes fils ne se sentent jamais retenus dès la naissance. Ils ont des droits, la pleine liberté, le choix. Je ne serai qu'un guide, et mon homme pareillement.

Notre voix ne réprimandera que rarement.

Et encore ne serait-ce qu'en matière de respect des lois de la tribu.

Voilà autre chose : la tribu et ses lois. Tu as des lois en tes contrées. Des lois que l'on vote, me dit-on, selon les besoins. Tu as beaucoup de lois. On t'indique comment traverser une rue, rédiger une entente, bâtir ta maison. On a catalogué les crimes et si tu les commets, tu es punie.

Mais pour obtenir justice, invoques-tu des humains ou des rouages?

Il n'est de lois écrites en nos tribus, rien qui s'inscrirait dans un code. Et pourtant, c'est seulement l'honneur que nous invoquons. Les missionnaires nous ont appris bien des choses que nous ne savions pas. Voler, mentir, mésuser de notre corps.

Auparavant, et encore aujourd'hui maintenant que nous reprenons nos coutumes, nous ne savions pas ce que signifiait voler. Nous étions d'une même tribu et nous partagions les biens, la tâche, l'ambition. Quant aux nôtres, ceux de la tribu, nous les respections, parce que c'était ainsi qu'il en devait être. En conséquence, nous ne causions pas le mal à autrui.

Voilà ce que nous devions transmettre à nos fils et à nos filles.

Au fils, l'honneur tribal, qui comprend tout.

Aux filles, outre ce devoir, les tâches, l'art d'être femme : l'apprêtage des peaux, la cuisson des aliments, la fabrication des vêtements, le cheminement en forêt, l'entretien d'un ouigouame.

Ce sont de grandes vertus que celles-là.

Si je les ai enseignées jeunes à mes enfants, c'est que tout aussi jeune je les avais apprises. J'avais l'aiguille en mains et cinq ans d'âge. Je savais gratter une peau à dix ans. Et bien d'autres choses encore que je savais parce que c'était cela ma science à moi, la seule que je doive posséder.

Vois-tu comme nous sommes loin l'une de l'autre, femme blanche? Comme nos mondes sont aux antipodes ?

Rien de ce que je sais ne t'importe, et tout ce que tu dois apprendre, je n'en saurais que faire.

Car, pour moi, l'important, c'est la sève et le fruit. Or, qu'en sais-tu ?

On a érigé autour de toi, et pour toi, ce qui

est nécessaire pour que tu survives malgré toi et sans avoir à bouger un muscle, si tu ne veux pas.

Pour moi, je dois survivre par mes propres oeuvres, mon propre effort, et rien ni personne ne me rend une aide.

Pas, en tout cas, tel que tu le conçois.

Cela me fait sereine, car je connais le prix de chaque respiration, et je suis aise, chaque matin, de pouvoir l'exhaler une fois de plus.

Mon sommeil est plus léger que le tien, mais il est léger et doux, il se nourrit d'air pur, il ignore tout autre que le bon rêve.

Je ne recherche aucunement les voies frénétiques et toujours frustrantes où ta chair s'égare. Mon contentement vient des actes doux accomplis dans la bonne odeur du soir, loin de tout bruit, dans une liberté que tu ne connais plus.

Dans ta maison de riche, sais-tu aimer, de tout coeur, de tout corps, de toute âme ?

Les trois sont indivisibles, je te le dis. Or, j'ai l'immensité, j'ai la sérénité, et j'ai tôt appris à savourer chaque seconde pleinement, tellement elle a été gagnée de sueur et parfois de sang, et tellement je sais qu'elle **peut** être éphémère.

Et pourtant, cela ne me fait pas peur.

Je sais le prix du bonheur et je le prends là où il est.

Toi, comment fais-tu ?

Oserais-tu me le dire ?

Pourquoi ces explorations, ces frustrations ? Pourquoi nommes-tu banales des joies du corps que tu n'as même jamais vraiment appris à savourer.

Aurais-tu peur de te livrer ?

Saurais-tu donc la profondeur de ton vide ?

En tes mains, d'homme et de famille, de tâches et d'honneur, combien tiens-tu?

Tu confonds ce que tu accomplis chaque jour, tes futiles démarches, tes évasions superficielles, et la vie elle-même, sereinement accomplie.

La vraie vie.

Vivre.

8

Il me semble que je parle depuis longtemps.
Il me semble aussi que je n'ai encore rien dit.

C'est tellement difficile de se vider ainsi. Je ressens de loin ton mépris que tu camoufles sous des sourires de pitié indulgente.

Lorsque, finalement, tu es acculée, alors tu dis d'une voix douce cette horreur:
— Pauvre sauvagesse!

Sauvage est la forêt car elle ne respire point.

Sauvage est la bête, car elle ne raisonne point.

Sauvage est l'eau blanche, car elle est indomptable.

Sauvage est la montagne

Sauvage la fleur qui croît sans lois.

Mais moi, ô femme blanche, moi, sauvage? Sauvagesse? Ne sais-tu donc rien du sens des mots?

Je domine la forêt et je capture la bête. Je vogue à ma guise sur l'eau blanche et la montagne est mienne.

La fleur ne me veut aucun mal et je ne l'arracherai point.

Mais moi, fille des Manitot, j'ordonne en mes pays, et je foule librement les sols.

Je sais la signification de tous les vents, et si je le veux, par les signes dans le ciel et sur toutes les feuilles, je dis les lendemains.

J'enfante selon mon devoir, je mène dans la vie ceux que j'ai faits en moi. Et même si toutes les forces de cette nature qui m'entoure se déchaînent, j'en reste la maîtresse et non l'esclave.

A travers tout ce qui te détruirait, toi, en une heure, j'ai cheminé durant des milliers d'années. Et j'ai parlé à ces choses et à ces bêtes dans ma langue suave que tu ne comprendrais point. Je suis là, encore là, aujourd'hui, cent ans d'âge et malgré tout, face à toi, comprends-tu?

Sauvagesse?

Pauvre, pauvre Blanche!

Demain, je crois que je mourrai.
C'est une pensée étrange. Elle ne m'effraie point. Je suis un peu curieuse. Qu'est-ce que c'est la mort?
(Pour toi, c'est un mausolée dans un grand cimetière où circulent des automobiles. Sous ton mausolée, il y aura une fosse. Pour moi aussi, il y aura une fosse. Sans mausolée. C'est sans importance, nous serons là de même poussière, tu sais.)

Au pays des Bonnes Chasses, au-delà de tout, j'aurai ma récompense. A ma mesure. Quelle sera la tienne? A ta mesure? Ton paradis sera-t-il de béton et tes dieux, quelle langue parleront-ils? Qu'attends-tu du ciel, la continuation? Pour moi, c'est ainsi, mais je me demande ce que pensera le Tshe Manitot de tes alcools, de tes débauches, de tes fards et de ton or? Car c'est bien ainsi que tu veux continuer, n'est-ce pas?

Nous faisons du monde où nous sommes, les Montagnais, le pays premier, et de notre vie un accomplissement quotidien. Et nous disons que le paradis sera fait des mêmes arbres, mais immortels, des mêmes eaux, mais perpétuelles. Et nous passerons donc de la vie d'efforts à une vie douce. Puisque tout pour nous tient à la chasse, alors le paradis, ce sera le pays où la bête est continuelle, éternellement. Pour nous, c'est atteindre à la sécurité. Nos tâches seront donc légères, nos inquiétudes disparues. Pour toi, mourir, c'est atteindre la félicité. Mais l'image que tu inventes sur terre d'une félicité, qu'en sera-t-il au-delà de la terre?

Pour me comprendre, il faut que tu apprennes une humilité que tu ne connais plus.

* * *

J'avais trente ans.

Nous avons eu, cette année-là de grands bouleversements dans nos tribus.

Notre chef, non pas celui reconnu à Ottawa par les Blancs nos maîtres, mais l'autre, que même celui-là reconnaissait, l'autre, désigné et obéi, le véritable, nous avait réunis un certain matin de juin.

C'était jour de splendeur dans la forêt neuve.

Jamais encore les eaux n'avaient été si limpides.

Et le ciel était une vaste soie bleue tendue au-dessus du monde.

Pourtant, l'instant était grave. Depuis quelques semaines, aux feux du soir, la chose se discutait. Maints conciliabules avaient été inaugurés entre les hommes, d'un jour à l'autre. Ce que le chef dirait, nous en devinions les causes, mais nous n'en savions pas la grande substance.

— Entendez! dit-il.

Et nous nous sommes tus.

Même les enfants pressentaient que des choses se passaient qui n'étaient pas semblables aux autres.

Depuis un an, le gibier désertait nos territoires. Nul Manitot n'a encore révélé pourquoi il permet qu'ainsi les bêtes, par caprice étrange — ou est-ce donc nécessité? — émigrent vers des lieux inconnus, délaissant toute leur ancienne contrée.

Et qu'en émigrant nous privent de nos ressources premières.

Voilà ce qui amenait le chef devant les tribus réunies.

— Nous périrons, dit-il, si nous ne suivons pas les bêtes.

Je crois que chez les Blancs, où l'on pratique ce qu'on nomme la démocratie, une déclaration semblable aurait été longuement discutée. Il se serait trouvé au moins un opposant. Pendant des heures ou des jours de part et d'autre l'on se serait abreuvé d'arguments interminables.

Et pourtant, le fait aurait été là, inchangeable. Sans autre solution que la seule logique et sûre: partir.

Cela, nous le savions bien. Aussi ne s'est pas élevé une voix. Bien sûr, il nous déplaisait de quitter les parages. Le voyage serait long, il serait ardu. Nous devrions tout transporter avec nous, et nous étions dans notre pays depuis vingt ans. Et comment serait-il le pays neuf?

D'abord, où était-il?

Mais la décision fut acceptée.

Elle avait été mûrie, et certes pas prise à la légère. Nous reconnaissions la compétence de ce chef, puisque nous l'avions choisi librement et que nous le conservions à notre tête.

Les éclaireurs sont partis, suivant à la piste les chemins de la migration. Par instinct, d'un même instinct que celui des bêtes, nos hommes sont partis en ouest. C'était dans cette direction que les eaux ne différaient point, que la forêt restait semblable. Pour nous, comme pour les bêtes, c'est le pays continuel. Plus au nord, nous aurions trouvé la décroissance des arbres et le partage des eaux et plus loin encore, les mousses et le gel éternel.

Et au sud, le pays des Blancs, le pire.

En ouest, donc, trois tribus, occupant déjà le bassin d'une large rivière et les versants d'une chaîne de seize lacs.

Plus de soixante ouigouames.

Presque trois cents êtres, vieillards, hommes, femmes, enfants.

Quand les éclaireurs sont revenus deux mois plus tard, c'était déjà le décroît du mois d'août, les premiers soirs frais, la dernière et grande splendeur des feuillées avant l'agonie de septembre et la mort d'octobre.

Le chef avait prévu cet horaire de notre migration. Nous n'allions pas voyager, choses et gens, lors des chaleurs lourdes et des soirs immobiles, mais nous remonterions les vallées dans des coulis de vents un peu frissonnants, et au soir, nos sueurs seraient vites apaisées dans le vent de la nuit.

A la petite lune de fin de mois, nous étions prêts.

A l'aube un matin, nous avons abattu les derniers pieux des ouigouames, nous avons enroulé les peaux et brûlé les écorces.

Lorsque le soleil marqua neuf heures, les premiers canots prirent la rivière. A midi, le chef jetait un dernier regard sur nos emplacements abandonnés, et poussait son propre canot à l'eau.

Seul dans son embarcation vide, il dépassa la longue file et alla prendre place à la tête, bien loin déjà en avant.

Ce fut lui qui nous mena ensuite, pendant les douze jours que dura la migration, ainsi qu'en était son devoir.

Peut-être croiras-tu que si je te narre ce voyage, c'est qu'il présenta quelque danger ou fournit un incident dramatique. Il n'en est pourtant rien.

Rien qui puisse éveiller ta pitié.

Remuer tes viscères.

Te procurer, à nos dépens, une émotion forte dont tu pourrais nourrir ton sadisme de civilisée qui paierait pour que saute l'homme sur sa corniche du trentième étage. (Donnerais-tu, donneriez-vous, toi et la foule, des dollars pour que se règle son problème et qu'il ne saute pas. Ou bien plutôt donnerais-tu des dollars, précisément, pour qu'il saute et que tu puisses ressentir ce que tu appelles une horrible et envoûtante sensation . . . ?)

Aucun de nous n'est mort durant cette migration, les enfants arrivèrent sains et saufs, et nous étions sans une égratignure.

Fourbus, toutefois.

Et inquiets.

Nous avons avironné le long d'interminables rivières, à travers des lacs sans fin. Nous avons portagé, ballot au dos, des lieues durant à travers les fourrés, les broussailles, dans des forêts touffues le long d'escarpements rocailleux.

Le temps n'importait plus, seulement la sueur.

Tous, nous avions nos charges, et la portion d'effort qui nous était dévolue. Même les petits.

Même les petits qui portaient les ballots.

Qui puisaient l'eau durant les navigations.

Qui épongeaient des fronts.

Et qui chantaient aussi: oeuvre tout aussi utile que les autres.

Ce devait être une bien belle image, que cette longue file de canots, et tous ces gens, l'éclair des avirons dans le soleil, la lente avance des embarcations chargées. Et le soir, sur quelque grève ou au gré d'un plateau large surplombant le flot, nos abris et nos feux, l'entier de nos tribus devisant doucement avant que de s'aller coucher, fourbus, pour reprendre le lendemain cette randonnée vers un pays nouveau.

Bien que rien ne se soit passé, sauf notre grande lassitude et l'usure quotidienne de toutes nos énergies, ce voyage que j'ai fait au milieu de ma vie et qui en changea le cadre et l'effort reste à jamais gravé en ma pensée.

Car de ce jour où nous avons planté les pieux de nos nouveaux ouigouames dans des terres neuves qui nous devaient être hospitalières, il est possible de dire que notre fortune changea.

Ceux venus avant nous, les éclaireurs, avaient parfaitement deviné le chemin des bêtes. Nous avons retrouvé nos nourriciers anciens, et de plus toutes les autres bêtes déjà là. Jamais tribu de Montagnais n'avait habité une contrée aussi giboyeuse, longé des lacs aussi poissonneux.

Jamais de futaies aussi majestueuses ne nous avaient abrités.

Et le sol justement assez meuble, justement assez humide et pourtant sec aussi, là où fallait, pour que nous érigions nos abris, que nous fassions nos feux.

C'était vraiment le pays d'éternité.

Et combien nous nous sommes reprochés de n'être pas venus ici bien auparavant, pour y vivre enfin la bonne vie.

En vérité, le patrimoine dont nous rêvions pour nos enfants.

C'est ce pays qui nous fut enlevé par les Blancs.

Voilà, femme des villes du sud, la seule raison pourquoi j'ai raconté notre migration.

Au risque de t'ennuyer.

* * *

9

Il est bien difficile de raconter une vie aussi enracinée dans la nature et ses rythmes que le fut la mienne, à quelqu'un qui ne connaît de rythme que la trépidation artificielle des villes de Blancs.

Je te sens impatiente.

Tu te demandes quand je finirai.

Moi, je sais que je finirai avec mon dernier soupir et qu'il aura fallu cent ans. Mais toi, les termes que tu mets, les frontières que tu poses, les paliers d'excitation que tu reconnais, les effets dramatiques que tu exiges, tout cela est bien différent de ce que je peux t'offrir. Et je me demandes bien si tu n'as pas depuis longtemps rejeté mes mots, dont tu n'entendras plus jamais la fin . . .

Je voulais te parler de ce fils qui fut emporté un jour par un loup... Je voulais sans le vouloir: je me demande si pour toi cela ne prendra pas figure de légende. Tu vois ce que je veux dire? On s'intéresse, on s'étonne un peu, on ressent un certain petit frisson sans importance, mais on ne **communique** pas, la compassion est absente. Je commets, je suppose, le même péché, lorsqu'on me raconte des deuils, ou des exploits, ou des entreprises du passé. Je m'y attache mais bien momentanément.

Sauf que, malgré tout, puisqu'il s'agit de ceux avant moi, à cause du sang aux veines, peut-être, je constate une réalité à laquelle je ne puis échapper.

Moi, pour toi, je ne suis pas réelle, je suis une légende, je l'ai dit, et mes enfants, mon mari, ma tribu tout autant. Nous habitons des mondes à part chacun asservi à ses propres exigences. Que je juge des miennes par comparaison avec les tiennes ne doit pas te surprendre. Il est bien impossible, à mon avis, que tu puisses faire une semblable comparaison.

Je te parlerai donc de mon fils et de cet incident qui faillit tourner au drame. La chose ne saurait vraiment t'émouvoir, et tant pis. J'ai entrepris de peindre une image pour que tu la voies; je n'espère rien et je sais bien que je n'ai rien à espérer. Nos mains ne peuvent jamais se joindre. Je redeviendrais agile, même, me leurrant que tu ferais un pas vers moi, j'invoquerais miracle et faveur de Dieu, je serais exaucée et je me tiendrais au bord de mes lacs, que jamais tu ne viendras, de femme à femme, me reconnaître.

Lorsque je me serai tue, dès les heures suivantes, tu m'auras oubliée. Tu continueras, toi. C'est tant pis.

Or, mon fils avait joué ce jour-là seul sur une grève non loin de nos abris. Il ne s'est pas méfié et s'est trouvé un moment hors de portée. Un loup est venu, un vieux loup solitaire. Je ne comprends pas encore que cette bête ait pu approcher mon enfant. Le sang Montagnais en lui aurait dû le prévenir dès l'approche du loup. Etait-il à contre-vent pour l'odeur? A contre-sang pour l'instinct?

Il n'a jamais su le dire.

L'animal était fort malgré son âge, et assez rusé pour savoir bien empoigner d'une première mordée. Il a saisi mon fils, il l'a traîné en forêt. Mon fils a crié et dix hommes ont accouru.

Il a fallu cinq minutes pour qu'on rejoigne le loup et sa proie, qu'on tue le carnassier et qu'on délivre l'enfant. Ce dernier n'avait même pas une égratignure.

Voilà, c'est tout.

Je m'excuse de te l'avoir raconté.

Il me semble qu'en le disant, cela marquerait un peu plus le fait que j'avais des enfants moi aussi, comme toi, et un mari, et des gens . . .

Tu vois ce que je dire.

Excuse-moi.

* * *

10

Et puis, Sholshe est mort.

A vrai dire, il n'y eût que deux étapes dans ma vie. Le mariage, la mort.

Trois, si tu comptes que je mourrai à mon tour demain.

Mais j'ai appris il y a très longtemps, et je n'ai jamais oublié, qu'il faut tenir compte des seuls événements arrivés, et ne pas compter les autres à venir, tant qu'ils ne se seront pas produits.

Ce sont de très simples recettes de vie, femme blanche. Tout aussi simples que les recettes que nous employons chaque jour pour guérir les maux avec des herbes de la forêt.

Nul besoin d'études complexes, de traités impressionnants, de savants bouquins. Ce qui n'a pas été donné au renard ou au grand cerf, en ce qui est de vivre et de survivre, n'a pas davantage été donné à l'homme. Toute misère de l'âme ne provient-elle pas du fait que l'homme souhaite atteindre là où il n'a plus droit?

Je veux dire, qu'importe à la fin le nombre des objets précieux, des machines asservies, des tissus fins et qu'importe la splendeur des cités humaines? Est-il un seul objet, est-il une seule présumée puissance humaine qui puisse vraiment empêcher qu'un matin, tu ne saches plus respirer?

Il a été donné à l'homme de penser pour savoir aimer.

Le sait-il?

Il a été donné à l'homme de penser pour savoir survivre.

Survit-il vraiment?

Lorsque rien n'est plus désirable, et dès la jeunesse de l'homme, que d'atteindre à une vie sereine, que de détours n'emploie-t-il donc pas, que de chemins tortueux n'emprunte-t-il pas, l'homme de tes parages, pour éloigner chaque jour davantage le moment où il accédera à une vie sereine?

Il a construit des villes où tout fonctionne au bouton magique; il se vante de ce qu'il fait courir à folle vitesse sur la terre un monstre d'acier de son invention, et de ce qu'il fait voler dans le ciel. Il rêve fébrilement de s'élancer vers l'espace; il ne songe qu'à conquérir le monde et les mondes. Il prétend avoir les yeux tournés vers l'infini, il n'a que les yeux dans le vide.

Cependant que, tout à côté de lui, vit un infini de paix, un infini de splendeur dont il ne tient même plus compte.

Il s'extasie devant ses propres inventions, il loue son propre génie: devant ses mécanismes bien souvent gauches, à la fin, il crie au miracle. Et il ne regarde même pas le miracle de l'arbre.

Il a si bien vicié ses atmosphères qu'il doit ensuite vivre en des prisons de verre et d'acier où il invente de l'air purifié pour survivre.

Il a créé des musiques qu'il infiltre partout où il est, et pour l'épandre davantage, invente encore plus d'appareils, encore plus de mécanismes.

Pendant ce temps il vient dans mon ciel des musiques lointaines faites de tous les vents de la terre, qui ont bercé mon enfance et bercent encore aujourd'hui mon agonie.

Tous les jours, le Blanc refait la nature, ne le disons pas autrement. Il n'était pas content de la marche de ses propres pieds, alors il a inventé des roues, et des propulsions. Il a désiré passer toujours plus vite d'un endroit à un autre. En conséquence, partout et à tout instant s'agite une foule incroyable, vouée à servir inlassablement cette même agitation. Et pour qui se tient au sommet du monde et aperçoit ces fourmis démentes, il ne voit qu'une humaine cohue tournant éternellement en rond, courant après sa propre queue.

Il eût été louable d'accepter la nature telle qu'elle fut placée sur terre par le geste de Dieu: l'homme, et d'abord l'homme blanc, la rejette et tente d'en créer une nouvelle, issue et prolongement de l'autre, où plus rien, prétend-il, ne sera laissé au hasard.

Je sais, j'ai mis cent ans à le savoir, rien n'est laissé au hasard dans la nature.

Même pas l'amour des hommes.

Et je ne sais de pressentiment plus terrible qui m'habite, de songer que la patience de la nature s'émousse. Jusqu'ici, l'ambition désordonnée de l'homme blanc n'a fait qu'égratigner la terre, ici et là. Mais les forêts se déciment et les eaux se polluent. Les sols s'érodent, les granits éclatent. De ce qui a été créé par Dieu et nommé nature, l'on commence à apercevoir la fin. Cette fin ne sera ni facile, ni paisible. Et il se peut encore, voilà ma crainte, que la nature, plus forte que tout à la fin, enveloppe les embardées démentielles de l'homme en un même cataclysme qui détruirait l'oeuvre des mains, et redonnerait aux grandes forces sourdes et lentes l'occupation tranquille de toute la terre.

Tu ris. Je te sens qui me prends pour une insensée. Comment, cette vieille, cette "pauvre sauvagesse", cette fille de la nature ne respirant qu'à peine, se permet des présages de fin du monde? C'est à rire!

Et tu regardes autour de toi ta cité immense d'acier et de béton. Tu contemples les hautes bâtisses. Tu vois cette force, cette solidité. Tu chemines sur le trottoir, tu en vois la perpétuité. Tu observes toutes ces autos, tous ces camions, tu descends dans ton métro, et en toi monte la certitude que tous les présages sont menteurs. Eh, quoi, n'aperçois-tu pas justement la preuve sans conteste de la pérennité du progrès et de la science?

Un monde est surgi de la terre, tout un

pays. On y sent gronder la puissance incroyable de l'énergie motrice.

Et tu sais qu'en de blancs laboratoires, des savants chercheurs découvrent tous les jours les moyens d'accroître encore davantage cette puissance.

Sous l'emprise de ta propre fatuité, tu ne te lasses pas d'admirer tout ce qu'a pu accomplir l'homme. L'émerveillement te gagne; il n'y a plus rien à son épreuve. Au bout de ses doigts: une force stupéfiante. Dans son cerveau: un savoir jamais encore égalé. Dans la vie courante: les artifices d'un progrès dont tu ne comptes même plus les plaisantes découvertes.

Tu arpentes ta ville et tu te dis l'égale du dieu.

Pourtant, songe un peu à ces choses, bien simples, et qui pourtant t'échappent.

Un seul tremblement de terre peut jeter à terre toute ta ville, la détruire et tuer du même coup la moitié de sa population. Et même l'entier de la population.

Du même coup, en dix minutes.

Or, un tremblement de terre qui détruirait la plus grande de tes villes, n'est qu'un infime tressaillement, un frisson local et superficiel de l'écorce terrestre. Et dans l'histoire entière du monde et des hommes depuis cent mille ans, rien.

Cette ville qui a coûté des milliards et qui abrite deux millions d'âmes, en dix minutes, d'un frisson de sa peau qui ne se ressentirait pas à dix pieds au-dessous du sol, notre mère la terre peut l'anéantir dans un souffle.

Tu ne me crois pas? Lis tes propres journaux. C'est arrivé ailleurs, sur d'autres continents. Par caprice, un jour, ainsi la terre pourrait tout abattre.

Par lassitude aussi . . .

Quant au reste, j'en souris. Tes grands savants ont accompli, dis-tu, miracles et merveilles . . .

Et pourtant ils seraient bien incapables, dans leurs laboratoires, de fabriquer une seule feuille d'arbre, de construire un seul renard, chair, sang, peau et poil, et vivant.

La simple vie.

Pourtant une semence presque invisible qui choit de la plante va porter de la vie en terre . . .

Peut-on reproduire, à volonté et en semblable perfection, une seule oeuvre, fut-elle si infime de la nature, et que pourtant la nature fabrique, elle, d'instant en instant et jour après jour?

Parle-moi de ta puissance, de tes énergies motrices, de tes inventions de force et de solidité.

Une seule vague de la mer, déchaînée au grand large, balayant la rive détruirait la plus grande de tes villes en un instant.

Et il y a mille milliards de ces vagues qui habitent les océans depuis un milliard d'années.

Des insectes s'agitent qui se prennent pour des lions.

Et comme ils ne sauraient rugir de manière à être entendus, ils inventent des appareils qui grossissent leur voix à l'infini. Si bien qu'à la fin ils prennent ce vagissement démesurément grossi pour un rugissement puissant et se croient les maîtres de la nature.

Pauvres, pauvres hommes!

Il se peut que nous ayons depuis longtemps compris que nous connaîtrions le vrai bonheur en nous accordant docilement à la na-

ture, et en lui laissant les forces qu'elle possé-
dait, afin qu'elle nous les consente au besoin,
et pour obtenir de notre geste propitiatoire,
les fruits de sa grande patience et de son éter-
nelle sérénité.

Nous ne sommes que des Sauvages.

C'est notre tort.

Je t'ai dit que Sholshe était mort.

Je voudrais pouvoir te dire, pour provo-
quer chez toi une excitation morbide, que
Sholshe a péri dans quelque cataclysme à sa
mesure.

Il aurait pu certes mourir noyé, en sautant
un rapide. Il aurait pu mourir au loin, seul,
blessé sans rémission au bord de quelque
fourré.

De cent manières aurait-il pu mourir, au
ras de la nature, puisqu'il en était un mem-
bre et une issue.

Mais c'est bien tranquillement, sous l'abri,
qu'il est mort. En ma présence, et en présence
de tous les Anciens de la tribu. Il s'est trouvé
mal, un jour, il frissonnait, il haletait. A qua-
tre-vingts ans l'homme était encore droit et
sa force égalait celle de tous les autres hommes. Chez les miens l'âge ne se compte pas en
années mais en survivance. Sholshe accom-

plissait chaque jour les mêmes tâches, ses démarches n'avaient aucunement changé.

S'il est mort, c'est qu'il avait atteint son terme, dont personne ne peut décider pour soi. Toi pas plus que les autres.

Il s'est couché et nous lui avons porté toutes les médecines que nous connaissions.

Ce fut en vain: en trois jours, il expirait.

Ce fut sans éclat, sans cris, sans drame. Dans nos tribus un homme venait de mourir. Il avait été un bon homme. Il avait été loyal et franc. Il n'avait jamais transgressé les lois de la tribu. Il avait des enfants forts et leur avait enseigné l'honneur. Il mourait, nous pouvions le regretter, mais il restait parmi nous, car nous possédions une calme félicité qui lui convenait.

J'ai incliné la tête, j'ai attendu que le désarroi en moi diminue, puis je me suis remise à vivre.

Maintenant, au lieu de ma seule tâche à accomplir il fallait aussi que j'accomplisse celle de Sholshe.

Dans la tribu c'était exigible. L'homme meurt, la tribu continue.

La feuille tombe de l'arbre, mais l'arbre est toujours là. Que chaque chose vivante de la forêt périsse à son tour, la forêt elle-même est immuable. Lorsque la feuille tombe, un bourgeon attend au creux du bois. Au moment de la mort de Sholshe, dans un autre ouigouame, un enfant naissait.

* * *

Le reste est un décroît de vie bien prévisible: je pourrais te le raconter, je te l'épargne.

Ce n'est du reste pas tellement ma vie que je désirais narrer. Le récit en occuperait bien des pages. A travers nos pérégrinations, notre poursuite du gibier, nos actes quotidiens, et ceux de nos enfants, il y a matière à un récit exaltant le Bon Sauvage — l'expression est de toi . . . — et la vie des bois.

Or, ce n'était pas mon vrai propos. Il ne s'agissait pas de te dire qu'il vaut mieux cuire le repas au-dessus du feu. Mes casseaux d'écorce, dans le temps, ne valaient peut-être pas tes casseroles de brillant métal. L'objet n'est rien au fond. Tout est dans le coeur. Ne sursaute pas, je ne démentis rien de ce que j'ai raconté. Je te parlais du coeur, tu sais?

Comme j'ai paisiblement triomphé toute ma vie, habitant sous mes grands arbres, tu peux triompher aussi, sous tes toits d'asbeste.

L'important, c'est de reconnaître à chaque heure le sens vrai de la nature et des actes de la nature.

S'il est un bois dans la maison, dont tu touches le grain fin, songe à l'arbre.

Ne songe pas au génie de celui qui a transformé l'arbre en ce beau meuble, car celui-ci n'a fourni qu'une tâche d'artisan, malhabile et primitive comparée à la seule tâche de l'arbre de croître dans ses sols.

Ce que tu es, reconnais que la nature y a pourvu: ne la trahis jamais.

Sois émerveillée de la fleur et du fruit, contemple avec plus de détachement l'oeuvre d'homme. Il n'est de building prestigieux en tes cités qui puisse égaler en masse, en forme et en splendeur, un seul cap de granit bleu de la haute Côte Nord. Sans architecte, sans des milliers d'esclaves, par la seule force du temps, et de l'art patient de la nature.

En foi de quoi, respectant la lumière et la nuit, le sol et les bêtes, admettant en toi justement ces forces que tu sais être celles de la nature, tout te deviendra facile. Tu sauras quoi dire à tes petits, et quoi leur enseigner. Ils vivront dans leur civilisation, mais au lieu d'en user pour avilir la nature, ou pour la mépriser, ils la reconnaîtront pour ce qu'elle est, la continuation possible d'une oeuvre si grande qu'on n'en connaîtra peut-être jamais la fin.

Ayant accordé sa propre démarche à celle de la nature même, l'homme pourrait, tout en progressant et tout en fabriquant tous les artifices de son choix, rester tel qu'il fut placé sur terre.

C'était tout ce que je cherchais à dire.

Peut-être bien en vain.

Ne te préoccupe pas de moi. Ne cherche plus à m'aider. Mon temps achève, je te l'ai dit, demain, je mourrai.

Il est déjà trop tard.

F I N

DU MÊME AUTEUR CHEZ LE MÊME ÉDITEUR

LA FILLE LAIDE, roman, première édition: 1950, réédité en 1971;

LE DOMPTEUR D'OURS, roman, première édition: 1950, réédité en 1971;

AARON, roman, première édition: 1954, (Prix de la Province de Québec, 1954), réédité en 1971;

CUL-DE-SAC, roman, première édition: 1961, réédité en 1970;

TAYAOUT, FILS D'AGAGUK, roman, première édition: 1969, réédité en 1971;

LE DERNIER HAVRE, roman, 1970;

AGAGUK, roman, première édition: 1958;
          Premier Prix de la Province de Québec;
          Prix France-Canada, 1961;
          réédition en 1971 à L'ACTUELLE;
          Edition de luxe: Editions de la Frégate;

          Traductions: Editions Riron-Sha, Tokyo, 1960;
                    Editions Herbig, Berlin, 1960;
                    Editions Portugalia, Lisbonne, 1960;
                    Editions Znanje, Zagreb, 1961;
                    Editions Aldo Martello, Milan, 1962;
                    Editions Ryerson Press, Toronto, 1963;

OEUVRES PRINCIPALES CHEZ D'AUTRES ÉDITEURS

LES VENDEURS DU TEMPLE, roman. Institut Littéraire, 1952 (réédition);

ASHINI, roman, Editions Fides, 1961;

LES COMMETTANTS DE CARIDAD, roman, Editions de l'Homme, 1966;

LA MORT D'EAU, roman, Editions de l'Homme, 1968;

KESTEN, roman, Editions du Jour, 1968;

LES TEMPS DU CARCAJOU, roman, Editions de l'Homme, 1969;

AGAGUK, roman, tirage de luxe avec gravures inédites esquimaudes, Editions de la Frégate, 1971.

ACHEVÉ D'IMPRIMER
SUR LES PRESSES DE L'IMPRIMERIE ELECTRA
POUR LES ÉDITIONS DE L'ACTUELLE INC.
LE 3 NOVEMBRE 1971

Ouvrages parus
chez les Éditeurs du groupe Sogides

Ouvrages parus aux
ÉDITIONS
DE L'HOMME

HISTOIRE ● BIOGRAPHIES ● BEAUX-ARTS

Blow-up des grands de la chanson au Québec, M. Maillé, **3.00**

Camillien Houde, H. Larocque, **1.00**

Ce combat qui n'en finit plus, A. Stanké et J.-L. Morgan, **3.00**

Chroniques vécues des modestes origines d'une élite urbaine, H. Grenon, **3.50**

Conseils à ceux qui veulent bâtir, A. Poulin, arch., **2.00**

Des hommes qui bâtissent le Québec, en collaboration, **3.00**

Félix Leclerc, J.-P. Sylvain, **2.00**

Fête au village, P. Legendre, **2.00**

«J'aime encore mieux le jus de betterave», A. Stanké, **2.50**

Juliette Béliveau, D. Martineau, **3.00**

La Bolduc, R. Benoît, **1.50**

La France des Canadiens, R. Hollier, **1.50**

La mort attendra, A. Malavoy, **1.00**

La vie orageuse d'Olivar Asselin, (2 tomes), A. Gagnon, **1.00** chacun (Edition de luxe), **5.00**

Le drapeau canadien, L.-A. Biron, **1.00**

Le vrai visage de Duplessis, P. Laporte, **2.00**

Les Canadians et nous, J. de Roussan, **1.00**

Les Acadiens, E. Leblanc, **2.00**

Les trois vies de Pearson, J.-M. Poliquin et J. Beal, **3.00**

L'imprévisible Monsieur Houde, C. Renaud, **2.00**

Michèle Richard raconte Michèle Richard, M. Richard, **2.50**

Napoléon vu par Guillemin, H. Guillemin, **2.50**

Notre peuple découvre le sport de la politique, H. Grenon, **3.00**

On veut savoir, L Trépanier, (4 tomes), **1.00** chacun

Prague, l'été des tanks, En collaboration, **3.00**

Premiers sur la lune, N. Armstrong, M. Collins, E. Aldrin, **6.00**

Prisonnier à l'Oflag 79, Maj. P. Vallée, **1.00**

Québec 1800, En collaboration, **15.00**

Rescapée de l'enfer nazi, R. Charrier (Madame X), **1.50**

Riopelle, G. Robert, **3.50**

Un Yankee au Canada, A. Thério, **1.00**

LITTERATURE *(romans, poésie, théâtre)*

Agaguk, Y. Thériault, **2.50**

Amour, police et morgue, J.-M. Laporte, **1.00**

Bigaouette, Raymond Lévesque, **2.00**

Bousille et les justes, G. Gélinas, **2.00**

Candy, Southern & Hoffenberg, **3.00**

Ceux du Chemin taché, A. Thério, **2.00**

De la Terre à la Lune, J. Verne, **1.50**

Des bois, des champs, des bêtes,
J.-C. Harvey, **2.00**

Dictionnaire d'un Québécois,
C. Falardeau, **2.00**

Ecrits de la taverne Royal,
En collaboration, **1.00**

Gésine, Dr R. Lecours, **2.00**

Hamlet, prince du Québec, R. Gurik, **1.50**

"J'parle tout seul quand j'en narrache",
E. Coderre, **1.50**

La mort d'eau, Y. Thériault, **2.00**

Le dompteur d'ours, Y. Thériault, **2.00**

Le printemps qui pleure, A. Thério, **1.00**

Le roi de la Côte Nord, Y. Thériault, **1.00**

Le vertige du dégoût, E. Pallascio-Morin **1.00**

Les commettants de Caridad,
Y. Thériault, **2.00**

Les cents pas dans ma tête, P. Dudan, **2.50**

Les vendeurs du temple, Y. Thériault, **2.00**

Les temps du carcajou, Y. Thériault, **2.50**

Les mauvais bergers, A. Ena Caron, **1.00**

Les propos du timide, A. Brie, **1.00**

L'homme qui va, J.-C. Harvey, **2.00**

Marche ou crève Carignan, R. Hollier, **2.00**

Mes anges sont des diables,
J. de Roussan, **1.00**

Montréalités, A. Stanké, **1.50**

Ni queue ni tête, M.-C. Brault, **1.00**

N'Tsuk, Y. Thériault, **1.50**

Pays voilés, existences, M.-C. Blais, **1.50**

Pomme de pin, L. Pelletier-Dlamini, **2.00**

Prix David, C. Hamel, **2.50**

Tête Blanche, M.-C. Blais, **2.50**

Ti-Coq, G. Gélinas, **2.00**

Toges, bistouris, matraques et soutanes,
En collaboration, **1.00**

Topaz, L. Uris, **3.50**

Un simple soldat, M. Dubé, **1.50**

Valérie, Y. Thériault, **2.00**

LINGUISTIQUE

Améliorez votre français, J. Laurin, **2.50**

L'anglais par la méthode choc,
J.-L. Morgan, **2.00**

Le langage de votre enfant,
C. Langevin, **2.50**

Mirovox, H. Bergeron, **1.00**

Petit dictionnaire du joual au français,
A. Turenne, **2.00**

Savoir parler, R. Salvator-Catta, **2.00**

RELIGION

L'abbé Pierre parle aux Canadiens,
Abbé Pierre, **1.00**

Le chrétien en démocratie,
Abbés Dion et O'Neil, **1.00**

Le chrétien et les élections,
Abbés Dion et O'Neil, **1.50**

L'Eglise s'en va chez le diable
G. Bourgeault, s.j., J. Caron, ptre
et J. Duclos, s.j. **2.00**

LE SEL DE LA SEMAINE (Fernand Seguin)

Louis Aragon, 1.00
François Mauriac, 1.00
Jean Rostand, 1.00

Michel Simon, 1.00
Han Suyin, 1.00
Gilles Vigneault, 1.00

LOISIRS

Apprenez la photographie avec
Antoine Désilets, 3.50

Bricolage, J.-M. Doré, 3.00

Camping-caravaning, en collaboration, 2.50

Cinquante et une chansons à répondre,
P. Daigneault, 2.00

J'ai découvert Tahiti, J. Languirand, 1.00

Jeux de société, L. Stanké, 2.00

Informations touristiques: LA FRANCE,
en collaboration, 2.50

Informations touristiques: LE MONDE,
en collaboration, 2.50

Juste pour rire, C. Blanchard, 2.00

L'hypnotisme, J. Manolesco, 3.00

Le guide de l'astrologie, J. Manolesco, 3.00

Le guide de l'auto (1967), J. Duval, 2.00
(1968-69-69-71), 3.00 chacun

Course-Auto 70, J. Duval, 3.00

Le guide du judo (technique au sol),
L. Arpin, 3.00

Le guide du judo (technique debout),
L. Arpin, 3.00

Le jardinage, P. Pouliot, 3.00

Les courses de chevaux, Y. Leclerc, 3.00

Trucs de rangement No 1, J.-M. Doré, 3.00

Trucs de rangement No 2, J.-M. Doré, 3.00

« Une p'tite vite! », G. Latulippe, 2.00

Vive la compagnie!, P. Daigneault, 2.00

PSYCHOLOGIE PRATIQUE • SEXOLOGIE

Comment vaincre la gêne et la timidité,
R. Salvator-Catta, 2.00

Complexes et psychanalyse,
P. Valinieff, 2.50

Cours de psychologie populaire,
En collaboration, 2.50

Développez votre personnalité, vous
réussirez, S. Brind'Amour, 2.00

Hatha-yoga, S. Piuze, 3.00

Helga, F. Bender, 6.00

L'adolescent veut savoir,
Dr L. Gendron, 2.00

L'adolescente veut savoir,
Dr L. Gendron, 2.00

L'amour après 50 ans, Dr L. Gendron, 2.00

La contraception, Dr L. Gendron, 2.00

La dépression nerveuse,
En collaboration, 2.50

La femme et le sexe, Dr L. Gendron, 2.00

La femme enceinte, Dr R. Bradley, 2.50

L'homme et l'art érotique,
Dr L. Gendron, 2.00

La maman et son nouveau-né,
T. Sekely, 2.00

La mariée veut savoir, Dr L. Gendron, 2.00

La ménopause, Dr L. Gendron, 2.00

La merveilleuse histoire de la naissance,
Dr L. Gendron, 3.50

La psychologie de la réussite,
L.-D. Gadoury, 1.50

La sexualité, Dr L. Gendron, 2.00

La volonté, l'attention, la mémoire,
R. Tocquet, 2.50

Le mythe du péché solitaire,
J.-Y. Desjardins et C. Crépault, 2.00

Le sein, En collaboration, 2.50

Les déviations sexuelles, Dr Y. Léger. 2.50

Madame est servie, Dr L. Gendron, 2.00

Les maladies psychosomatiques,
Dr R. Foisy, 2.00

Pour vous future maman, T. Sekely, 2.00

Quel est votre quotient psycho-sexuel?,
Dr L. Gendron, 2.00

Qu'est-ce qu'un homme?,
Dr L. Gendron, 2.00

Qu'est-ce qu'une femme?,
Dr L. Gendron, 2.50

Teach-in sur la sexualité,
En collaboration, 2.50

Tout sur la limitation des naissances,
M.-J. Beaudoin, 1.50

Votre écriture, la mienne et celle des
autres, F.-X. Boudreault, 1.50

Votre personnalité, votre caractère,
Y.-B. Morin, 2.00

Vos mains, miroir de la personnalité,
P. Maby, 3.00

Yoga, santé totale pour tous,
G. Lescouflair, 1.50

Yoga Sexe, Dr L. Gendron, S. Piuze, 3.00

SCIENCES NATURELLES

Les mammifères de mon pays,
J. St-Denys Duchesnay et R. Dumais, 2.00

Les poissons du Québec,
E. Juchereau-Duchesnay, 1.00

SCIENCES SOCIALES ● POLITIQUE

Bourassa-Québec, R. Bourassa, 1.00

Connaissez-vous la loi?, R. Millet, 2.00

Dynamique de Groupe, J. Aubry, s.j., et
Y. Saint-Arnaud, s.j., 1.50

Drogues, J. Durocher, 2.00

Egalité ou indépendance, D. Johnson, 2.00

F.L.Q. 70: OFFENSIVE D'AUTOMNE,
J.-C. Trait, 3.00

La Bourse, A. Lambert, 3.00

La cruauté mentale, seule cause du
divorce?, Dr Y. Léger et
P.-A. Champagne, avocat, 2.50

La loi et vos droits,
P.-E. Marchand, avocat, 4.00

La nationalisation de l'électricité,
P. Sauriol, 1.00

La prostitution à Montréal, T. Limoges, 1.50

La rage des goof-balls,
A. Stanké et M.-J. Beaudoin, 1.00

Le budget, En collaboration, 3.00

L'Etat du Québec, En collaboration, 1.00

L'étiquette du mariage, M. Fortin-Jacques
et J. St-Denys-Farley, 2.50

Le guide de la finance, B. Pharand, 2.50

Le savoir-vivre, N. Germain, 2.50

Le savoir-vivre d'aujourd'hui,
M. Fortin-Jacques, 2.00

Le scandale des écoles séparées en
Ontario, J. Costisella, 1.00

Le terrorisme québécois, Dr G. Morf, 3.00

Les bien-pensants, P. Berton, 2.50

Les confidences d'un commissaire d'école,
G. Filion, 1.00

Les hippies, En collaboration, 3.00

Les insolences du Frère Untel,
Frère Untel, 1.50

Les parents face à l'année scolaire,
En collaboration, 2.00

Option Québec, R. Lévesque, 2.00

Scandale à Bordeaux, J. Hébert, 2.00

Ti-Blanc, mouton noir, R. Laplante, 2.00

Une femme face à la Confédération,
M.B. Fontaine, 1.50

Vive le Québec Libre!, Dupras, 1.00

VIE QUOTIDIENNE • SCIENCES APPLIQUEES

Aérobix, Dr P. Gravel, **2.00**

Apprenez à connaître vos médicaments,
R. Poitevin, **3.00**

Conseils aux inventeurs, R.-A. Robic, **1.50**

Ce qu'en pense le notaire,
Me A. Senay, **2.00**

Comment prévoir le temps, Eric Neal, **1.00**

Couture et tricot, En collaboration, **2.00**

Cuisine française pour Canadiens,
R. Montigny, **3.00**

Embellissez votre corps, J. Ghedin, **1.50**

Embellissez votre visage, J. Ghedin, **1.50**

En cuisinant de 5 à 6, Juliette Huot, **2.00**

Encyclopédie des antiquités du Québec,
M. Lessard et H. Marquis, **6.00**

Encyclopédie du jardinier horticulteur
W. H. Perron, **6.00**

Exercices pour rester jeune, T. Sekely, **2.00**

Fondues et flambées de maman Lapointe,
S. Lapointe, **2.00**

L'art de vivre en bonne santé,
Dr W. Leblond, **3.00**

La cellulite, Dr G.-J. Léonard, **3.00**

Le charme féminin, D. M. Parisien, **2.00**

La chirurgie plastique esthétique,
Dr A. Genest, **2.00**

La conquête de l'espace, J. Lebrun, **5.00**

La cuisine canadienne avec la farine
Robin Hood, **2.00**

La cuisine chinoise, L. Gervais, **2.00**

La cuisine en plein air,
H. Doucet-Leduc, **2.00**

La dactylographie, W. Lebel, **2.00**

La décoration, J. Monette, **3.00**

La femme après 30 ans, N. Germain, **2.50**

La médecine est malade, Dr L. Joubert, **1.00**

La retraite, D. Simard **2.00**

La/Le secrétaire bilingue, W. Lebel, **2.50**

La sécurité aquatique, J.-C. Lindsay, **1.50**

Leçons de beauté, E. Serei, **2.50**

Le guide complet de la couture,
L. Chartier, **3.50**

Les grands chefs de Montréal et leurs
recettes, A. Robitaille, **1.50**

Les greffes du coeur, En collaboration, **2.00**

Les médecins, l'Etat et vous,
Dr R. Robillard, **2.00**

Les recettes à la bière des grandes
cuisines Molson, M.-L. Beaulieu, **2.00**

Les recettes de Maman, S. Lapointe, **2.00**

Les soupes, C. Marécat, **2.00**

Madame reçoit, H. Doucet-LaRoche, **2.50**

Mangez bien et rajeunissez, R. Barbeau, **2.00**

Médecine d'aujourd'hui,
Me A. Flamand, **1.00**

Poids et mesures, L. Stanké, **1.50**

Pourquoi et comment cesser de fumer,
A. Stanké, **1.00**

Regards sur l'Expo, R. Grenier, **1.50**

Régimes pour maigrir, M.-J. Beaudoin, **2.50**

Savoir se maquiller, J. Ghedin, **1.50**

Soignez votre personnalité, Messieurs,
E. Serei, **2.00**

Tenir maison, F. Gaudet-Smet, **2.00**

36-24-36, A. Coutu, **2.50**

Tous les secrets de l'alimentation,
M.-J. Beaudoin, **2.50**

Vins, cocktails, spiritueux, G. Cloutier, **2.00**

Vos dents, Drs Guy Déom et
P. Archambault, **2.00**

Vos vedettes et leurs recettes,
G. Dufour et G. Poirier, **3.00**

SPORTS

La natation, M. Mann, **2.50**

La pêche au Québec, M. Chamberland, **3.00**

Le baseball, En collaboration, **2.50**

Le football, En collaboration, **2.50**

Le golf, J. Huot, **2.00**

Le ski, En collaboration, **2.50**

Le tennis, W.-F. Talbert, **2.50**

Les armes de chasse, Y. Jarretie, **2.00**

Monsieur Hockey, G. Gosselin, **1.00**

Tous les secrets de la chasse,
M. Chamberland, **1.50**

Tous les secrets de la pêche,
M. Chamberland, **2.00**

TRAVAIL INTELLECTUEL

Dictionnaire de la loi, R. Millet, **2.00**
Dictionnaire des affaires, W. Lebel, **2.00**

Dictionnaire des mots croisés, R. Piquette,
P. Lasnier, C. Gauthier, **3.50**
Dictionnaire en 5 langues, L. Stanké, **2.00**

PUBLICATIONS RÉCENTES OU À PARAÎTRE PROCHAINEMENT

Vos cheveux, Josette Ghedin, **2.50**
Le « Self-Défense », Louis Arpin, **$3.00**
Pour la grandeur de l'Homme,
Claude Péloquin, **2.00**
Les cabanes d'oiseaux, J.-M. Doré, **3.00**
Les verbes, Jacques Laurin,

La cuisine de Maman Lapointe, S. Lapointe
La météorologie, Alcide Ouellet,
La Taxidermie, M. Labrie,
La technique de la photo, Antoine Desilets,
L'Ermite, T. Lobsang Rampa,

Ouvrages parus a
L'ACTUELLE

Aaron, Y. Thériault, **2.50**
Carré Saint-Louis, J.-J. Richard, **3.00**
Cul-de-sac, Y. Thériault, **3.00**
Danka, M. Godin, **3.00**
D'un mur à l'autre, P.-A. Bibeau, **2.50**
Et puis tout est silence, C. Jasmin, **3.00**
Feuilles de thym et fleurs d'amour,
M. Jacob, **1.00**

La fille laide, Y. Thériault, **3.00**
Le dernier havre, Y. Thériault, **2.50**
Le domaine Cassaubon (prix de l'Actuelle
1971), G. Langlois, **3.00**
Le dompteur d'ours, Y. Thériault, **2.50**
Le jeu des saisons,
M. Ouellette-Michalska, **2.50**
Les demi-civilisés, J.-C. Harvey, **3.00**
Les visages de l'enfance, D. Blondeau, **3.00**

PUBLICATIONS RÉCENTES OU À PARAÎTRE PROCHAINEMENT

L'Outaragasipi, C. Jasmin

Le Bois pourri, A. Maillet
Tayaout, fils d'Agaguk, Y. Thériault, **2.50**

Ouvrages parus aux
PRESSES LIBRES

A votre santé, Dr L. Boisvert, **2.00**

Comment devenir vedette, J. Beaulne, **3.00**

Des Zéroquois aux Québécois,
C. Falardeau, **2.00**

L'amour humain, R. Fournier, **2.00**

L'anti-sexe, J.-P. Payette, **3.00**

La négresse blonde aux yeux bridés,
C. Falardeau, **2.00**

L'assimilation, pourquoi pas?
L. Landry, **2.00**

La Terre a une taille de guêpe,
P. Dudan, **3.00**

La voix de mes pensées, E. Limet, **2.50**

Le bateau ivre, M. Metthé, **2.50**

Le couple sensuel, Dr L. Gendron, **2.00**

Le Franco-Fun Kébecwa, F. Letendre, **2.50**

Les salariés au pouvoir!, Le Frap, **1.00**

Le rêve séparatiste, L. Rochette, **2.00**

Le séparatisme, non! 100 fois non,
Comité Canada, **2.00**

Les cent positions de l'amour,
H. Benson, **3.00**

Les prévisions 71, J. Manolesco
(12 fascicules) **1.00** chacun

Menues, dodues, roman policier,
par Gilan, **3.00**

Maria de l'Hospice, M. Grandbois, **2.00**

Mine de rien, Gilles Lefebvre, **2.00**

Plaidoyer pour la grève et contestation,
A. Beaudet, **2.00**

Positions +, J. Ray, **3.00**

Pour une éducation de qualité au Québec,
C.-H. Rondeau, **2.00**

Tocap, Pierre de Chevigny, **2.00**

PUBLICATIONS RÉCENTES OU À PARAÎTRE PROCHAINEMENT

Mes expériences autour du monde
dans 75 pays, R. Boisclair

Ariâme . . . plage nue, Pierre Dudan, **3.00**

Aventure sans retour (The Jos Parisi Story)

Les incommunicants, Léo LeBlanc,